La Vida es Sueño

El Alcalde de Zalamea

El Mágico Prodigioso

LA VIDA ES SUEÑO

EL ALCALDE DE ZALAMEA

EL MÁGICO PRODIGIOSO

Pedro Calderón de La Barca

COLECCION HISPANICA

Doubleday & Company, Inc.
Garden City, New York
1961

Colección Hispánica
Publicada bajo la dirección de
Leonardo C. de Morelos
Columbia University

Portada de Leonard Baskin

Impreso en los Estados Unidos
Printed in the United States of America

INDICE

LA VIDA ES SUEÑO

LA VIDA ES SUEÑO

PERSONAS

BASILIO, rey de Polonia.
SEGISMUNDO, príncipe.
ASTOLFO, duque de Moscovia.
CLOTALDO, viejo.
CLARÍN, gracioso.
ESTRELLA, infanta.
ROSAURA, dama.

Soldados, Guardas, Músicos, Acompañamiento, Damas, Criados. La escena es en la corte de Polonia, en una fortaleza poco distante, y en el campo.

La Vida es Sueño

Época: siglo XVII.

JORNADA PRIMERA

A un lado monte fragoso, y al otro una torre cuya planta baja sirve de prisión a Segismundo. La puerta que da frente al espectador está entreabierta. La acción principia al anochecer.

ESCENA PRIMERA

ROSAURA, CLARÍN.

ROSAURA, *vestida de hombre, aparece en lo alto de las peñas, y baja a lo llano; tras elle viene* CLARÍN.

ROSAURA.   Hipogrifo violento
que corriste parejas con el viento,
 ¿ dónde, rayo sin llama,
pájaro sin matiz, pez sin escama,
 y bruto sin instinto
natural, al confuso laberinto
 destas desnudas peñas
te desbocas, arrastras y despeñas ?
 Quédate en este monte,
donde tienen los brutos su Faetonte:
 que yo, sin más camino
que el que me dan las leyes del destino
 ciega y desesperada
bajaré la aspereza enmarañada
 deste monte eminente
que arruga al sol el ceño de su frente.
 Mal, Polonia, recibes
a un extranjero; pues con sangre escribes

su entrada en tus arenas;
y apenas llega, cuando llega a penas.
   Bien mi suerte lo dice:
¿ mas dónde halló piedad un infelice ?

CLARIN.
   Di dos, y no me dejes
en la posada a mí cuando te quejes;
   que si dos hemos sido
los que de nuestra patria hemos salido
   a probar aventuras;
dos los que, entre desdichas y locuras,
   aquí hemos llegado,
y dos los que del monte hemos rodado:
   ¿ no es razón que yo sienta
meterme en el pesar, y no en la cuenta ?

ROSAURA.
   No te quiero dar parte
en mis quejas, Clarín, por no quitarte
   llorando tu desvelo,
el derecho que tienes tú al consuelo;
   que tanto gusto había
en quejarse, un filósofo decía,
   que, a trueque de quejarse,
habrían las desdichas de buscarse.

CLARIN.
   El filósofo era
un borracho barbón: ¡oh! ¡quién le diera
   más de mil bofetadas !
Quejárase después de muy bien dadas.
   Mas, ¿ qué haremos, señora,
a pie, solos, perdidos y a esta hora
   en un desierto monte
cuando se parte el sol a otro horizonte ?

ROSAURA.
   ¡ Quién ha visto sucesos tan extraños !
Mas si la vista no padece engaños
   que hace la fantasía,
a la medrosa luz que aun tiene el día
   me parece que veo
un edificio.

CLARIN.
          O miente mi deseo,
o termino las señas.

ROSAURA.   Rústico nace entre desnudas peñas
            un palacio tan breve
            que al sol apenas a mirar se atreve.
                Con tan rudo artificio
            la arquitectura está de su edificio,
                que parece, a las plantas
            de tantas rocas y de peñas tantas
                que al sol roban la lumbre,
            peñasco que ha rodado de la cumbre.

CLARIN.   Vámonos acercando;
            que esto es mucho mirar, señora, cuando
                es mejor que la gente
            que habita en ella, generosamente
                nos admita.

ROSAURA.   La puerta
            (mejor diré, funesta boca) abierta
                está, y desde su centro
            nace la noche, pues la engendra dentro.

            (Suenan dentro cadenas.)

CLARIN.   ¡ Qué es lo que escucho, cielo !
ROSAURA.   Inmóvil bulto soy de fuego y hielo.
CLARIN.   ¿ Cadenita hay que suena ?
            Mátenme, si no es galeote en pena:
                bien mi temor lo dice.

                ESCENA II

        Segismundo, *en la torre;* Rosaura, Clarín.

SEGIS. *(dentro).* ¡ Ay, mísero de mí ! ¡ Ay, infelice !
ROSAURA.   ¡ Qué triste voz escucho !
            Con nuevas penas y tormentos lucho.
CLARIN.   Yo con nuevos temores . . .
ROSAURA.   Clarín . . .
CLARIN.   Señora . . .
ROSAURA.   Huyamos los rigores
            desta encantada torre.

CLARIN.   Yo aun no tengo
            ánimo para huir, cuando a eso vengo.
ROSAURA.   ¿ No es breve luz aquella
            caduca exhalación, pálida estrella,
                que, en trémulos desmayos,
            pulsando ardores y latiendo rayos,
                hace más tenebrosa
            la obscura habitación con luz dudosa ?
                Sí, pues a sus reflejos
            puedo determinar, aunque de lejos
                una prisión obscura,
            que es de un vivo cadáver sepultura;
                y porque más me asombre,
            en el traje de fiera yace un hombre
                de cadenas cargado,
            y sólo de una luz acompañado.
                Pues que huir no podemos,
            desde aquí sus desdichas escuchemos:
                sepamos lo que dice.

(Ábrense las hojas de la puerta, y descúbrese a SEGISMUNDO
con una cadena y vestido de pieles. Hay luz en la torre.)

SEGISMUNDO.   ¡ Ay, mísero de mí ! ¡ Ay, infelice !
                Apurar, cielos, pretendo,
            ya que me tratáis así
            ¿ qué delito cometí
            contra vosotros, naciendo ?
            Aunque si nací, ya entiendo
            qué delito he cometido:
            bastante causa ha tenido
            vuestra justicia y rigor,
            pues el delito mayor
            del hombre, es haber nacido.
                Sólo quisiera saber
            para apurar mis desvelos,
            (dejando a una parte, cielos,
            el delito de nacer),
            ¿ qué más os pude ofender

para castigarme más ?
¿ No nacieron los demás ?
Pues si los demás nacieron:
¿ qué privilegios tuvieron
que yo no gocé jamás ?

Nace el ave y con las galas
que le dan belleza suma,
apenas es flor de pluma
o ramillete con alas,
cuando las etéreas salas
corta con velocidad,
negándose a la piedad
del nido que deja en calma,
¡ y teniendo yo más alma,
tengo menos libertad !

Nace el bruto, y con la piel
que dibujan manchas bellas
apenas signo es de estrellas,
(gracias al docto pincel),
cuando atrevida y cruel
la humana necesidad
le enseña a tener crueldad,
monstruo de su laberinto:
¡ y yo, con mejor instinto,
tengo menos libertad !

Nace el pez, que no respira,
aborto de ovas y lamas,
y apenas, bajel de escamas,
sobre las ondas se mira,
cuando a todas partes gira,
midiendo la inmensidad
de tanta capacidad
como le da el centro frío:
¡ y yo, con más albedrio,
tengo menos libertad !

Nace el arroyo, culebra
que entre flores se desata,
y apenas, sierpe de plata,

entre las flores se quiebra,
cuando músico celebra
de las flores la piedad,
que le da la majestad
del campo abierto a su huída:
¡ y teniendo yo más vida
tengo menos libertad !

En llegando a esta pasión,
un volcán, un Etna hecho,
quisiera arrancar del pecho
pedazos del corazón.
¿ Qué ley, justicia o razón,
negar a los hombres sabe
privilegio tan süave,
exención tan principal,
que Dios ha dado a un cristal,
a un pez, a un bruto y a un ave ?

ROSAURA.   Temor y piedad en mí
sus razones han causado.

SEGISMUNDO. ¿ Quién mis voces ha escuchado ?
¿ Es Clotaldo ?

CLARIN *(aparte a su ama).*   Di que sí.

ROSAURA.   No es sino un triste — ¡ ay de mí ! —
que en estas bóvedas frías
oyó tus melancolías.

SEGISMUNDO. Pues muerte aquí te daré,
por que no sepas que sé   *(Ásela.)*
que sabes flaquezas mías.
Sólo porque me has oído,
entre mis membrudos brazos
te tengo de hacer pedazos.

CLARIN.   Yo soy sordo, y no he podido
escucharte.

ROSAURA.   Si has nacido
humano, baste el postrarme
a tus pies, para librarme.

SEGISMUNDO. Tu voz pudo enternecerme,

tu presencia suspenderme
y tu respeto turbarme.

¿ Quién eres ? que aunque yo aquí
tan poco del mundo sé,
que cuna y sepulcro fué
esta torre para mí;
y aunque desde que nací
— si esto es nacer, — sólo advierto
este rústico desierto
donde miserable vivo,
siendo un esqueleto vivo,
siendo un animado muerto;

y aunque nunca vi ni hablé,
sino a un hombre solamente
que aquí mis desdichas siente,
por quien las noticias sé
de cielo y tierra; y aunque
aquí, por que más te asombres
y monstruo humano me nombres,
entre asombros y quimeras,
soy un hombre de las fieras,
y una fiera de los hombres.

Y aunque en desdichas tan graves
la política he estudiado,
de los brutos enseñado,
advertido de las aves,
y de los astros süaves
los círculos he medido:
tú sólo, tú has suspendido
la pasión a mis enojos,
las suspensión a mis ojos,
la admiración a mi oído.

Con cada vez que te veo
nueva admiración me das,
y cuando te miro más,
aun más mirarte deseo.
Ojos hidrópicos creo
que mis ojos deben ser;

pues cuando es muerte el beber
beben más, y de esta suerte,
viendo que el ver les da muerte
se están muriendo por ver.

Pero, véate yo, y muera;
que no sé, rendido ya,
si el verte muerte me da,
el no verte qué me diera.
Fuera más que muerte fiera,
ira, rabia y dolor fuerte;
fuera vida; desta suerte
su rigor he ponderado,
pues dar vida a un desdichado
es dar a un dichoso muerte.

ROSAURA. Con asombro de mirarte,
con admiración de oírte,
ni sé qué pueda decirte,
ni qué pueda preguntarte:
sólo diré que a esta parte
hoy el cielo me ha guiado
para haberme consolado,
si consuelo puede ser
del que es desdichado, ver
otro que es más desdichado.

Cuentan de un sabio, que un día
tan pobre y mísero estaba,
que sólo se sustentaba
de unas yerbas que cogía.
¿ Habrá otro — entre sí decía —
más pobre y triste que yo ?
Y cuando el rostro volvió,
halló la respuesta, viendo
que iba otro sabio cogiendo
las hojas que él arrojó.

Quejoso de la fortuna
yo en este mundo vivía,
y cuando entre mí decía:
¿ habrá otra persona alguna

de suerte más importuna ?;
piadoso me has respondido;
pues volviendo en mi sentido
hallo que las penas mías
para hacerlas tú alegrías
las hubieras recogido.

Y por si acaso, mis penas
pueden en algo aliviarte,
óyelas atento, y toma
las que dellas me sobraren.
Yo soy . . .

ESCENA III

CLOTALDO, *Soldados*, SEGISMUNDO, ROSAURA, CLARÍN.

CLOTALDO (*dentro*).   Guardas desta torre
que, dormidas o cobardes,
disteis paso a dos personas
que han quebrantado la cárcel . . .

ROSAURA.   Nueva confusión padezco . . .

SEGISMUNDO.   Éste es Clotaldo, mi alcaide.
¿ Aún no acaban mis desdichas ?

CLOT. (*dentro*). Acudid, y vigilantes,
sin que puedan defenderse,
o prendedles, o matadles.

VOCES (*den.*).   ¡ Traición !

CLARIN.   Guardas desta torre,
que entrar aquí nos dejasteis,
pues que nos dais a escoger.
el prendernos es más fácil.

(*Salen* CLOTALDO *y los Soldados; él con una pistola, y todos
con los rostros cubiertos.*)

CLOTALDO (*aparte, a los Soldados al salir*).
Todos os cubrid los rostros;
que es diligencia importante,

mientras estemos aquí,
que no nos conozca nadie.

CLARIN. ¿Enmascaraditos hay?

CLOTALDO. Oh, vosotros, que, ignorantes,
de aqueste vedado sitio
coto y término pasasteis,
contra el decreto del rey
que manda que no ose nadie
examinar el prodigio
que entre estos peñascos yace:
rendid las armas y vidas,
o aquesta pistola, áspid
de metal, escupirá
el veneno penetrante
de dos balas, cuyo fuego
será escándalo del aire.

SEGISMUNDO. Primero, tirano dueño,
que los ofendas ni agravies,
será mi vida despojo
destos lazos miserables,
pues en ellos, ¡vive Dios!
tengo que despedazarme
con las manos, con los dientes,
entre aquestas peñas, antes
que su desdicha consienta
y que llore sus ultrajes.

CLOTALDO. Si sabes que tus desdichas,
Segismundo, son tan grandes,
que antes de nacer moriste
por ley del cielo; si sabes
que aquestas prisiones son
de tus furias arrogantes
un freno que las detenga,
y una rienda que las pare;
¿por qué blasonas?   La puerta
            A los Soldados.
cerrad de esa estrecha cárcel;
escondedle en ella.

SEGISMUNDO.   ¡ Ah, cielos !
¡ Qué bien hacéis en quitarme
la libertad !, porque fuera
contra vosotros gigante
que, para quebrar al sol,
esos vidrios y cristales,
sobre cimientos de piedra
pusiera montes de jaspe.

CLOTALDO.   Quizá, porque no los pongas
hoy padeces tantos males.

(Llévanse algunos Soldados a SEGISMUNDO, *y enciérranle
en su prisión.)*

ESCENA IV

ROSAURA, CLOTALDO, CLARÍN.

ROSAURA.   Ya que vi que la soberbia
te ofendió tanto, ignorante
fuera en no pedirte humilde
vida que a tus plantas yace.
Muévate en mí la piedad;
pues será rigor notable
que no hallen favor en ti
ni soberbias ni humildades.

CLARIN.   Y si humildad ni soberbia
no te obligan, personajes
que han movido y removido
mil autos sacramentales:
yo, ni humilde ni soberbio,
sino entre las dos mitades
entreverado, te pido
que nos remedies y ampares.

CLOTALDO.   ¡ Hola !

SOLDADOS.   Señor . . .

CLOTALDO.   A los dos
quitad las armas, y atadles

los ojos, por que no vean
cómo ni de dónde salen.

ROSAURA.   Mi espada es ésta, que a ti
solamente ha de entregarse,
porque, al fin, de todos eres
el principal; no sabe
rendirse a menos valor.

CLARIN.   La mía es tal que puede darse
al más ruin: tomadla vos.   (*A un Soldado.*)

ROSAURA.   Y si he de morir, dejarte
quiero, en fe desta piedad,
prenda que pudo estimarse
por el dueño, que algún día
se la ciñó; que la guardes
te encargo, porque aunque yo
no sé qué secreto alcance,
sé que esta dorada espada
encierra misterios grandes,
pues sólo fiado en ella
vengo a Polonia a vengarme
de un agravio.

CLOTALDO (*aparte*).   ¡ Santos cielos !
¡ Qué es esto !   Ya son más graves
mis penas y confusiones,
mis ansias y mis pesares.
¿ Quién te la dió ?

ROSAURA.   Una mujer.

CLOTALDO.   ¿ Cómo se llama ?

ROSAURA.   Que calle
su nombre es fuerza.

CLOTALDO.   ¿ De qué
infieres ahora, o sabes
que hay secreto en esta espada ?

ROSAURA.   Quien me la dió, dijo: « Parte
a Polonia, y solicita
con ingenio, estudio o arte
que te vean esa espada
los nobles y principales,

LA VIDA ES SUEÑO

que yo sé que alguno de ellos
te favorezca y ampare; »
que, por si acaso era muerto,
no quiso entonces nombrarle.

CLOT. *(aparte).* ¡ Válgame el cielo, qué escucho !
Aún no sé determinarme
si tales sucesos son
ilusiones o verdades.
Ésta es la espada que yo
dejé a la hermosa Violante;
por señas que el que ceñida
la trajera, había de hallarme
amoroso como hijo
y piadoso como padre.
¿ Pues qué he de hacer (¡ ay de mí !)
en confusión semejante,
si quien la trae por favor,
para su muerte la trae,
pues que, sentenciado a muerte
llega a mis pies ? ¡ Qué notable
confusión ! ¡ Qué triste hado !
¡ Qué suerte tan inconstante !
Éste es mi hijo, y las señas
dicen bien con las señales
del corazón, que por verle
llama al pecho, y él bate
las alas, y no pudiendo
romper los candados, hace
lo que aquél que está encerrado
y oyendo ruido en la calle
se asoma por la ventana;
él así, como no sabe
lo que pasa, y oye el ruido,
va a los ojos a asomarse,
que son ventanas del pecho
por donde en lágrimas sale.
¿ Qué he de hacer ? ¡ Valedme, cielos !
¿ Qué he de hacer ? Porque llevarle

al rey, es llevarle ¡ ay triste !
a morir.   Pues ocultarle
al rey, no puedo, conforme
a la ley del homenaje.
De una parte el amor propio,
y la lealtad de otra parte,
me rinden.   Pero, ¿ qué dudo ?
La lealtad del rey ¿ no es antes
que la vida y el honor ?
Pues él viva y ella falte.
Fuera de que, si ahora atiendo
a que dijo que a vengarse
viene de un agravio, hombre
que está agraviado, es infame.
No es mi hijo, no es mi hijo;
no tiene mi noble sangre.
Pero si ya ha sucedido
un peligro, de quien nadie
se libró, porque el honor
es de materia tan frágil
que con una acción se quiebra
o se mancha con un aire,
¿ qué más puede hacer, qué más,
el que es noble, de su parte,
que a costa de tantos riesgos
haber venido a buscarle ?
Mi hijo es, mi sangre tiene,
pues tiene valor tan grande;
y así entre una y otra duda,
el medio más importante
es irme al rey y decirle
que es mi hijo, y que le mate.
Quizá la misma piedad
de mi honor podrá obligarle;
y si le merezco vivo,
yo le ayudaré a vengarse
de su agravio; mas si el rey,
en sus rigores constante,

le da muerte, morirá
sin saber que soy su padre.
Venid conmigo, extranjeros.

(A ROSAURA y CLARÍN.)

No temáis, no, de que os falte
compañía en las desdichas;
pues en duda semejante
de vivir o de morir,
no sé cuáles son más grandes.

(Vanse.)

Salón del palacio real en la corte.

ESCENA V

*ASTOLFO y Soldados que salen por un lado, y por el otro la
INFANTA ESTRELLA y Damas. Música militar dentro, y
salvas.*

ASTOLFO.   Bien al ver los excelentes
rayos, que fueron cometas,
mezclan salvas diferentes
las cajas y las trompetas,
los pájaros y las fuentes;
          siendo con música igual,
y con maravilla suma,
a tu vista celestial
unos, clarines de pluma,
y otras, aves de metal;
          y así os saludan, señora,
como a su reina, las balas,
los pájaros como Aurora,
las trompetas como a Palas
y las flores como a Flora;
          porque sois, burlando el día

que ya la noche destierra,
Aurora en el alegría,
Flora en paz, Palas en guerra,
y reina en el alma mía.

ESTRELLA. Si la voz se ha de medir
con las acciones humanas,
mal habéis hecho en decir
finezas tan cortesanas
donde os pueda desmentir
todo ese marcial trofeo
con quien ya atrevida lucho;
pues no dicen, según creo,
las lisonjas que os escucho
con los rigores que veo.
Y advertid que es baja acción,
que sólo a una fiera toca,
madre de engaño y traición,
el halagar con la boca
y matar con la intención.

ASTOLFO. Muy mal informada estáis,
Estrella, pues que la fe
de mis finezas dudáis,
y os suplico que me oigáis
la causa, a ver si la sé.
Falleció Eustorgio tercero,
rey de Polonia, y quedó
Basilio por heredero,
y dos hijas, de quien yo
y vos nacimos. No quiero
cansar con lo que no tiene
lugar aquí. Clorilene,
vuestra madre y mi señora,
que en mejor imperio ahora
dosel de luceros tiene,
fué la mayor, de quien vos
sois hija; fué la segunda,
madre y tía de los dos,

la gallarda Recisunda,
que guarde mil años Dios.

 Casó en Moscovia; de quien
nací yo.   Volver ahora
al otro principio es bien.
Basilio, que ya, señora,
se rinde al común desdén

 del tiempo, más inclinado
a los estudios, que dado
a mujeres, enviudó
sin hijos, y vos y yo
aspiramos a este Estado.

 Vos alegáis que habéis sido
hija de hermana mayor;
yo, que varón he nacido,
y aunque de hermana menor,
os debo ser preferido.

 Vuestra intención y la mía
a nuestro tío contamos;
él respondió que quería
componernos, y aplazamos
este puesto y este día.

 Con esta intención salí
de Moscovia y de su tierra;
con esta llegué hasta aquí,
en vez de haceros yo guerra,
a que me la hagáis a mí.

 ¡ Oh ! quiera Amor, sabio Dios,
que el vulgo, astrólogo cierto,
hoy lo sea con los dos,
y que pare este concierto
en que seáis reina vos,

 pero reina en mi albedrío,
dándoos, para más honor,
su corona nuestro tío,
sus triunfos vuestro valor,
y su imperio el amor mío.

ESTRELLA.   A tan cortés bizarría,

menos mi pecho no muestra,
pues la imperial monarquía,
para sólo hacerla vuestra
me holgara que fuera mía.

Aunque no esté satisfecho
mi amor de que sois ingrato
si en cuanto decís sospecho
que os desmiente ese retrato
que está pendiente del pecho.

ASTOLFO.   Satisfaceros intento
con él . . . Mas lugar no da
tanto sonoro instrumento   *(Tocan cajas.)*
que avisa que sale ya
el rey con su parlamento.

ESCENA VI

EL REY BASILIO, *acompañamiento.* ASTOLFO, ESTRELLA,
Damas, Soldados.

ESTRELLA.   Sabio Tales . . .
ASTOLFO.   Docto Euclides . . .
ESTRELLA.   Que entre signos . . .
ASTOLFO.   Que entre estrellas . . .
ESTRELLA.   Hoy gobiernas . . .
ASTOLFO.   Hoy resides . . .
ESTRELLA.   Y sus caminos . . .
ASTOLFO.   Sus huellas . . .
ESTRELLA.   Describes . . .
ASTOLFO.   Tasas y mides . . .
ESTRELLA.   Deja que en humildes lazos . . .
ASTOLFO.   Deja que en tiernos abrazos . . .
ESTRELLA.   Hiedra de ese tronco sea.
ASTOLFO.   Rendido a tus pies me vea.
BASILIO.   Sobrinos, dadme los brazos,
y creed, pues, que leales
a mi precepto amoroso
venís con afectos tales,

que a nadie deje quejoso
y los dos quedéis iguales;
　y así cuando me confieso,
rendido al prolijo peso,
sólo os pido en la ocasión
silencio, que admiración
ha de pedirla el suceso.
　Ya sabéis (estadme atentos,
amados sobrinos míos,
corte ilustre de Polonia,
vasallos, deudos y amigos):
ya sabéis que yo en el mundo,
por mi ciencia he merecido
el sobrenombre de docto;
pues, contra el tiempo y olvido,
los pinceles de Timantes,
los mármoles de Lisipo,
en el ámbito del orbe
me aclaman el gran Basilio.
Ya sabéis que son las ciencias
que más curso y más estimo,
matemáticas sutiles,
por quien al tiempo le quito,
por quien a la fama rompo
la jurisdicción y oficio
de enseñar más cada día;
pues cuando en mis tablas miro
presentes las novedades
de los venideros siglos;
le gano al tiempo las gracias
de contar lo que yo he dicho,
esos círculos de nieve,
esos doseles de vidrio
que el sol ilumina a rayos,
que parte la luna a giros;
esos orbes de diamantes,
esos globos cristalinos,
que las estrellas adornan

y que campean los signos,
son el estudio mayor
de mis años, son los libros
donde en papel de diamante,
en cuadernos de zafiro,
escribe con líneas de oro,
en caracteres distintos,
el cielo nuestros sucesos,
ya adversos o ya benignos.
Éstos leo tan veloz,
que con mi espíritu sigo
sus rápidos movimientos
por rumbos y por caminos.
¡ Pluguiera al cielo, primero,
que mi ingenio hubiera sido
de sus márgenes comento
y de sus hojas registro !
Hubiera sido mi vida
el primero desperdicio
de sus iras, y que en ellas
mi tragedia hubiera sido,
porque de los infelices
aun el mérito es cuchillo;
¡ que a quien le daña el saber,
homicida es de sí mismo !
Dígalo yo, aunque mejor
lo dirán sucesos míos,
para cuya admiración
otra vez silencio pido.
En Clorilene, mi esposa,
tuve un infelice hijo,
en cuyo parto los cielos
se agotaron de prodigios.
Antes que a la luz hermosa
le diese el sepulcro vivo
de un vientre (porque el nacer
y el morir son parecidos),
su madre infinitas veces,

entre ideas y delirios
del sueño, vió que rompía
sus entrañas atrevido
un monstruo en forma de hombre,
y entre su sangre teñido,
le daba muerte, naciendo
víbora humana del siglo.
Llegó de su parto el día
y los presagios cumplidos
(porque tarde o nunca son
mentirosos los impíos).
Nació en horóscopo tal,
que el sol, en su sangre tinto,
entraba sañudamente
con la luna en desafío;
y siendo valla la tierra,
los dos faroles divinos
a luz entera luchaban,
ya que no a brazo partido.
El mayor, el más horrendo
eclipse que ha padecido
el sol, después que con sangre
lloró la muerte de Cristo,
éste fué; porque anegado
el orbe en incendios vivos,
presumió que padecía
el último paroxismo;
los cielos se obscurecieron,
temblaron los edificios,
llovieron piedras las nubes,
corrieron sangre los ríos.
En aqueste, pues, del sol
ya frenesí, ya delirio,
nació Segismundo, dando
de su condición indicios,
pues dió la muerte a su madre,
con cuya fiereza dijo:
Hombre soy, pues que ya empiezo

a pagar mal beneficios.
Yo, acudiendo a mis estudios,
en ellos y en todo miro
que Segismundo sería
el hombre más atrevido,
el príncipe más cruel
y el monarca más impío,
por quien su reino vendría
a ser parcial, y diviso,
escuela de las traiciones
y academia de los vicios;
y él, de su furor llevado,
entre asombros y delitos,
había de poner en mí
las plantas, y yo rendido
a sus pies me había de ver:
(¡con qué vergüenza lo digo!)
siendo alfombra de sus plantas
las canas del rostro mío.
¿Quién no da crédito al daño,
y más al daño que ha visto
en su estudio, donde hace
el amor propio su oficio?
Pues dando crédito yo
a los hados que adivinos
me pronosticaban daños
en fatales vaticinios,
determiné de encerrar
la fiera que había nacido,
por ver si el sabio tenía
en las estrellas dominio.
Publicóse que el infante
nació muerto y, prevenido,
hice labrar una torre
entre las peñas y riscos
de esos montes, donde apenas
la luz ha hallado camino.
Por defenderle la entrada,

sus rústicos obeliscos,
las graves penas y leyes,
que con públicos edictos
declararon que ninguno
entrase a un vedado sitio
del monte, se ocasionaron
de las causas que os he dicho.
Allí Segismundo vive,
mísero, pobre y cautivo,
adonde sólo Clotaldo
le ha hablado, tratado y visto.
Éste le ha enseñado ciencias;
éste en la ley le ha instruído
católica, siendo sólo
de sus miserias testigo.
Aquí hay tres cosas: la una,
que yo, Polonia, os estimo
tanto, que os quiero librar
de la opresión y servicio
de un rey tirano, porque
no fuera, señor benigno
el que a su patria y su imperio
dejara en tanto peligro.
La otra es considerar
que si a mi sangre le quito
el derecho que le dieron,
humano fuero y divino,
no es cristiana caridad,
pues ninguna ley ha dicho
que por preservar yo a otro
de tirano y de atrevido,
pueda yo serlo, supuesto
que si es tirano mi hijo,
por que él delitos no haga,
venga yo a hacer los delitos.
Es la última y tercera
el ver cuánto yerro ha sido
dar crédito fácilmente

a los sucesos previstos;
pues aunque su inclinación
le dicte sus precipicios,
quizá no le vencerán:
porque el hado más esquivo,
la inclinación más violenta,
el planeta más impío,
sólo el albedrío inclinan,
no fuerzan el albedrío.
Y así, entre una y otra causa,
vacilante y discursivo,
previne un remedio tal
que os suspenda los sentidos.
Yo he de ponerle mañana,
sin que él sepa que es mi hijo
y rey vuestro, a Segismundo
(que aquéste su nombre ha sido)
en mi dosel, en mi silla,
y, en fin, en el lugar mío,
donde os gobierne y os mande
y donde todos rendidos
la obediencia le juréis;
pues con aquesto consigo
tres cosas, con que respondo
a las otras tres que he dicho.
Es la primera, que siendo
prudente, cuerdo y benigno,
desmintiendo en todo el hado
que dél tantas cosas dijo,
gozaréis del natural
príncipe vuestro, que ha sido
cortesano de unos montes
y de sus fieras vecino.
Es la segunda, que si él,
soberbio, osado, atrevido
y crüel, con rienda suelta
corre el campo de sus vicios,
habré yo piadoso entonces

con mi obligación cumplido;
y luego en desposeerle
haré como rey invicto,
siendo el volverle a la cárcel
no crueldad, sino castigo.
Es la tercera, que siendo
el príncipe como os digo,
por lo que os amo, vasallos,
os daré reyes más dignos
de la corona y el cetro;
pues serán mis dos sobrinos,
que junto en uno el derecho
de los dos, y convenido
con la fe del matrimonio,
tendrán lo que han merecido.
Esto como rey os mando,
esto como padre os pido,
esto como sabio os ruego,
esto como anciano os digo;
y si el Séneca español,
que era humilde esclavo, dijo,
de su república, un rey,
como esclavo os lo suplico.

ASTOLFO.   Si a mí el responder me toca
como el que en efecto ha sido
aquí el más interesado,
en nombre de todos digo
que Segismundo parezca,
pues le basta ser tu hijo.

TODOS.   Danos al príncipe nuestro
que ya por rey le pedimos.

BASILIO.   Vasallos, esa fineza
os agradezco y estimo.
Acompañad a sus cuartos
a los dos atlantes míos,
que mañana le veréis.

TODOS.   ¡ Viva el grande rey Basilio !

(*Éntranse todos, acompañando a* ESTRELLA *y a* ASTOLFO,
quédase el rey.)

ESCENA VII

CLOTALDO, ROSAURA, CLARÍN *y* BASILIO.

CLOTALDO.   ¿ Podréte hablar ? (*Al rey.*)
BASILIO.   ¡ Oh, Clotaldo !
               Tú seas muy bien venido.
CLOTALDO.   Aunque viniendo a tus plantas
               era fuerza haberlo sido,
               esta vez, rompe, señor,
               el hado triste y esquivo
               el privilegio a la ley
               y a la costumbre el estilo.
BASILIO.   ¿ Qué tienes ?
CLOTALDO.   Una desdicha,
               señor, que me ha sucedido,
               cuando pudiera tenerla
               por el mayor regocijo.
BASILIO.   Prosigue . . .
CLOTALDO.   Este bello joven,
               osado o inadvertido,
               entró en la torre, señor,
               adonde el príncipe ha visto.
               Y es . . .
BASILIO.   .   No os aflijáis, Clotaldo.
               Si otro día hubiera sido,
               confieso que lo sintiera;
               pero ya el secreto he dicho,
               y no importa que él lo sepa,
               supuesto que yo lo digo.
               Vedme después, porque tengo
               muchas cosas que advertiros,
               y muchas que hagáis por mí;

que habéis de ser, os aviso,
instrumento del mayor
suceso que el mundo ha visto.
Y a esos presos, porque al fin
no presumáis que castigo
descuidos vuestros, perdono.

(Vase.)

CLOTALDO.   ¡ Vivas, gran señor, mil siglos !

ESCENA VIII

CLOTALDO, ROSAURA, CLARÍN.

CLOT. *(aparte).* (Mejoró el cielo la suerte.
Ya no diré que es mi hijo,
pues que lo puedo excusar.)
Extranjeros peregrinos,
libres estáis.

ROSAURA.   Tus pies beso
mil veces.

CLARIN.   Y yo los viso.
Que una letra más o menos
no reparan dos amigos.

ROSAURA.   La vida, señor, me has dado;
y pues a tu cuenta vivo.
Eternamente seré
esclavo tuyo.

CLOTALDO.   No ha sido
vida la que yo te he dado,
porque un hombre bien nacido,
si está agraviado no vive;
y supuesto que has venido
a vengarte de un agravio,
según tú propio me has dicho,
no te he dado vida yo,
porque tú no la has traído;
que vida infame no es vida. *(Aparte.)*

(Bien con aquesto le animo.)

ROSAURA.
Confieso que no la tengo
aunque de ti la recibo;
pero yo con la venganza
dejaré mi honor tan limpio,
que pueda mi vida luego,
atropellando peligros,
parecer dádiva tuya.

CLOTALDO.
Toma el acero bruñido
que trajiste; que yo sé
que él baste, en sangre teñido
de tu enemigo, a vengarte;
porque acero que fué mío
(digo este instante, este rato
que en mi poder le he tenido),
sabrá vengarte.

ROSAURA.
          En tu nombre,
segunda vez me le ciño,
y en él juro mi venganza
aunque fuese mi enemigo
más poderoso.

CLOTALDO.
          ¿ Eslo mucho ?

ROSAURA.
Tanto, que no te lo digo.
No porque de tu prudencia
mayores cosas no fío,
sino porque no se vuelva
contra mí el favor que admiro
en tu piedad.

CLOTALDO.
          Antes fuera
ganarme a mí con decirlo;
pues fuera cerrarme el paso
de ayudar a tu enemigo. (Aparte.)
(¡ Oh, si supiera quién es !)

ROSAURA.
Porque no pienses que estimo
en poco esa confianza,
sabe que el contrario ha sido
no menos que Astolfo, duque
de Moscovia.

CLOTALDO (*aparte*).   Mal resisto
                    el dolor, porque es más grave
                    que fué imaginado, visto.
                    Apuremos más el caso.
                    Si moscovita has nacido,
                    el que es natural señor
                    mal agraviarte ha podido:
                    Vuélvete a tu patria, pues,
                    y deja el ardiente brío
                    que te despeña.

ROSAURA.   Yo sé
                    que, aunque mi príncipe ha sido,
                    pudo agraviarme.

CLOTALDO.   No pudo,
                    aunque pusiera atrevido
                    la mano en tu rostro.

ROSAURA.   ¡ Ay, cielos !
                    Mayor fué el agravio mío.

CLOTALDO.   Dilo ya, pues que no puedes
                    decir más que yo imagino.

ROSAURA.   Sí dijera; mas no sé
                    con qué respeto te miro,
                    con qué afecto te venero,
                    con qué estimación te asisto,
                    que no me atrevo a decirte
                    que es este exterior vestido
                    enigma, pues no es de quien
                    parece: juzga advertido,
                    si no soy lo que parezco,
                    y Astolfo a casarse vino
                    con Estrella, si podrá
                    agraviarme. Harto he dicho.

            (*Vanse* ROSAURA *y* CLARÍN.)

CLOTALDO.   ¡ Escucha, aguarda, detente !
                    ¿ Qué confuso laberinto
                    es éste, donde no puede
                    hallar la razón el hilo ?

Mi honor es el agraviado.
Poderoso el enemigo,
yo vasallo, ella mujer.
Descubra el cielo camino;
aunque no sé si podrá
cuando en tan confuso abismo
es todo el cielo un presagio
y es todo el mundo un prodigio.

JORNADA SEGUNDA

ESCENA PRIMERA

Basilio, Clotaldo.

CLOTALDO.　　　Todo, como lo mandaste,
queda efectuado.

BASILIO.　　　　　　　　Cuenta,
Clotaldo, cómo pasó.

CLOTALDO.　Fué, señor, desta manera:
Con la apacible bebida,
que de confecciones llena
hacer mandaste, mezclando
la virtud de algunas yerbas
cuyo tirano poder
y cuya secreta fuerza
así el humano discurso
priva, roba y enajena,
que deja vivo cadáver
a un hombre a cuya violencia
adormecido, le quita
los sentidos y potencias.
No tenemos que argüir,
que aquesto posible sea,
pues tantas veces, señor,
nos ha dicho la experiencia,
y es cierto, que de secretos
naturales está llena
la medicina, y no hay
animal, planta ni piedra
que no tenga calidad
determinada; y si llega
a examinar mil venenos
la humana malicia nuestra,
que den la muerte, ¿ qué mucho
que, templada su violencia,

pues hay venenos que matan,
haya venenos que aduerman?
Dejando aparte el dudar,
si es posible que suceda,
pues que ya queda probado
con razones y evidencias;
con la bebida, en efecto,
que el opio, la adormidera
y el beleño compusieron,
bajé a la cárcel estrecha
de Segismundo; con él
hablé un rato de las letras
humanas que le ha enseñado
la muda naturaleza
de los montes y los cielos,
en cuya divina escuela
la retórica aprendió
de las aves y las fieras.
Para levantarle más
el espíritu a la empresa
que solicitas, tomé
por asunto la presteza
de un águila caudalosa,
que despreciando la esfera
del viento, pasaba a ser,
en las regiones supremas
del fuego, rayo de pluma
o desasido cometa.
Encarecí el vuelo altivo,
diciendo: « Al fin eres reina
de las aves, y así, a todas
es justo que las prefieras. »
Él no hubo menester más;
que en tocando esta materia
de la majestad, discurre
con ambición y soberbia;
porque, en efecto, la sangre
le incita, mueve y alienta

a cosas grandes, y dijo:
« ¡ Que en la república inquieta
de las aves también haya
quien les jure la obediencia !
En llegando a este discurso,
mis desdichas me consuelan;
pues por lo menos si estoy
sujeto, lo estoy por fuerza;
porque voluntariamente
a otro hombre no me rindiera. »
Viéndole ya enfurecido
con esto, que ha sido el tema
de su dolor, le brindé
con la pócima, y apenas
pasó desde el vaso al pecho
el licor, cuando las fuerzas
rindió al suelo, discurriendo
por los miembros y las venas
un sudor frío, de modo,
que a no saber yo que era
muerte fingida, dudara
de su vida. En esto llegan
las gentes de quien tú fías
el valor de esta experiencia,
y poniéndole en un coche
hasta su cuarto le llevan,
donde prevenida estaba
la majestad y grandeza
que es digna de su persona.
Allí en tu cama le acuestan,
donde al tiempo que el letargo
haya perdido la fuerza,
como a ti mismo, señor,
le sirvan, que así lo ordenas.
Y si haberte obedecido
te obliga a que yo merezca
galardón, sólo te pido
(perdona mi inadvertencia)

que me digas ¿ qué es tu intento
trayendo desta manera
a Segismundo a palacio ?

BASILIO.

Clotaldo, muy justa es esa
duda que tienes, y quiero
sólo a ti satisfacerla.
A Segismundo, mi hijo,
el influjo de su estrella
(bien lo sabes) amenaza
mil desdichas y tragedias;
quiero examinar si el cielo,
que no es posible que mienta,
y más habiéndome dado
de su rigor tantas muestras,
en su crüel condición,
o se mitiga, o se templa
por lo menos, y vencido,
con valor y con prudencia
se desdice; porque el hombre
predomina en las estrellas.
Esto quiero examinar,
trayéndole donde sepa
que es mi hijo, y donde haga
de su talento la prueba.
Si magnánimo la vence,
reinará; pero si muestra
el ser cruel y tirano,
le volveré a su cadena.
Ahora preguntarás,
que para aquesta experiencia,
¿ qué importó haberle traído
dormido de esta manera ?
Y quiero satisfacerte
dándote a todo respuesta.
Si él supiera que es mi hijo
hoy, y mañana se viera
segunda vez reducido
a su prisión y miseria,

cierto es de su condición
que desesperara en ella;
porque sabiendo quién es,
¿ qué consuelo habrá que tenga ?
Y así he querido dejar
abierta al daño la puerta
del decir que fué soñado
cuanto vió. Con esto llegan
a examinarse dos cosas:
Su condición, la primera;
pues él despierto procede
en cuanto imagina y piensa:
y el consuelo la segunda;
pues aunque ahora se vea
obedecido, y despúes
a sus prisiones se vuelva,
podrá entender que soñó,
y hará bien cuando lo entienda,
porque en el mundo, Clotaldo,
todos los que viven sueñan.

CLOTALDO.   Razones no me faltaran
para probar que no aciertas;
mas ya no tiene remedio;
y según dicen las señas,
parece que ha despertado
y hacia nosotros se acerca.

BASILIO.   Yo me quiero retirar:
tú, como ayo suyo, llega,
y de tantas confusiones
como su discurso cercan,
le saca con la verdad.

CLOTALDO.   ¿ En fin, que me das licencia
para que lo diga ?

BASILIO.   Sí.
Que podrá ser, con saberla,

que conocido el peligro
más fácilmente se venza.

(*Vase.*)

ESCENA II

CLARÍN, CLOTALDO.

CLAR. (*ap.*).   A costa de cuatro palos,
que el llegar aquí me cuesta,
de un alabardero rubio
que barbó de su librea,
tengo que ver cuanto pasa;
que no hay ventana más cierta
que aquélla que, sin rogar
a un ministro de boletas
un hombre se trae consigo;
pues para todas las fiestas,
despojado y despejado,
se asoma a su desvergüenza.

CLOT. (*aparte*). Éste es Clarín, el criado
de aquélla (¡ ay cielos !), de aquélla
que tratante de desdichas,
pasó a Polonia mi afrenta.
Clarín, ¿ qué hay de nuevo ?

CLARIN.   Hay,
señor, que tu gran clemencia,
dispuesta a vengar agravios
de Rosaura, la aconseja
que tome su propio traje.

CLOTALDO.   Y es bien, porque no parezca
liviandad.

CLARIN.   Hay que mudando
su nombre, y tomando cuerda
nombre de sobrina tuya,
hoy tanto honor se acrecienta,
que dama en palacio ya

de la singular Estrella
vive.

CLOTALDO.　　　　Es bien que de una vez
tome su honor por mi cuenta.

CLARIN.　Hay que ella está esperando
que ocasión y tiempo venga
en que vuelvas por su honor.

CLOTALDO.　Prevención segura es esa;
que al fin el tiempo ha de ser
quien haga esas diligencias.

CLARIN.　Hay que ella está regalada,
servida como una reina,
en fe de sobrina tuya.
Y hay que viniendo con ella,
estoy yo muriendo de hambre
y nadie de mí se acuerda,
sin mirar que soy Clarín,
y que si el tal Clarín suena,
podrá decir cuanto pasa
al rey, a Astolfo y a Estrella;
porque Clarín y criado
son dos cosas que se llevan
con el secreto muy mal;
y podrá ser, si me deja
el silencio de su mano,
se cante por mí esta letra:
Clarín que rompe el albor,
no suena mejor.

CLOTALDO.　Tu queja está bien fundada;
yo satisfaré tu queja,
y en tanto sírveme a mí.

CLARIN.　Pues ya Segismundo llega.

ESCENA III

Músicos, cantando, y Criados dando de vestir a SEGISMUNDO,
que sale como asombrado. CLOTALDO, CLARÍN.

SEGISMUNDO.　　　　¡ Válgame el cielo, qué veo !
　　　　　　　　¡ Válgame el cielo, qué miro !
　　　　　　　　Con poco espanto lo admiro,
　　　　　　　　con mucha duda lo creo.
　　　　　　　　　¿ Yo en palacios suntuosos ?
　　　　　　　　¿ Yo entre telas y brocados ?
　　　　　　　　¿ Yo cercado de criados
　　　　　　　　tan lucidos y briosos ?
　　　　　　　　　¿ Yo despertar de dormir
　　　　　　　　en lecho tan excelente ?
　　　　　　　　¿ Yo en medio de tanta gente
　　　　　　　　que me sirva de vestir ?
　　　　　　　　　Decir que sueño es engaño:
　　　　　　　　bien sé que despierto estoy.
　　　　　　　　¿ Yo Segismundo no soy ?
　　　　　　　　Dadme, cielos, desengaño.
　　　　　　　　　Decidme, ¿ qué pudo ser
　　　　　　　　esto que a mi fantasía
　　　　　　　　sucedió mientras dormía,
　　　　　　　　que aquí me he llegado a ver ?
　　　　　　　　　Pero sea lo que fuere,
　　　　　　　　¿ quién me mete en discurrir ?
　　　　　　　　Dejarme quiero servir,
　　　　　　　　y venga lo que viniere.

CRIADO 1.° *(aparte al Criado 2,° y a Clarín).*
　　　　　　　　　¡ Qué melancólico está !

CRIADO 2.°　　　¿ Pues a quién le sucediera
　　　　　　　　esto, que no lo estuviera ?

CLARIN.　　　　A mí.

CRIADO 2.°　　　　　Llega a hablarle ya.

CRIADO 1.° *(a* SEGISMUNDO).
　　　　　　　　　¿ Volverán a cantar ?

SEGISMUNDO.　　　　　　　　No,
　　　　　　　　no quiero que canten más.

CRIADO 2.º   Como tan suspenso estás,
              quise divertirte.

SEGISMUNDO.   Yo
              no tengo de divertir
              con sus voces mis pesares;
              las músicas militares
              sólo he gustado de oír.

CLOTALDO.   Vuestra alteza, gran señor,
              me dé su mano a besar,
              que el primero os ha de dar
              esta obediencia mi honor.

SEGIS. (ap.).   Clotaldo es: ¿pues cómo así,
              quien en prisión me maltrata,
              con tal respeto me trata?
              ¿Qué es lo que pasa por mí?

CLOTALDO.   Con la grande confusión
              que el nuevo estado te da,
              mil dudas padecerá
              el discurso y la razón;
                 pero ya librarte quiero
              de todas (si puede ser)
              porque has, señor, de saber
              que eres príncipe heredero
                 de Polonia. Si has estado
              retirado y escondido,
              por obedecer ha sido
              a la inclemencia del hado,
                 que mil tragedias consiente
              a este imperio, cuando en él
              el soberano laurel
              corone tu augusta frente.
                 Mas fiando a tu atención
              que vencerás las estrellas,
              porque es posible vencellas
              un magnánimo varón,
                 a palacio te han traído
              de la torre en que vivías,
              mientras al sueño tenías

el espíritu rendido.
   Tu padre, el rey, mi señor,
vendrá a verte, y dél sabrás,
Segismundo, lo demás.

SEGISMUNDO.   Pues, vil, infame, traidor.
   ¿qué tengo más que saber,
después de saber quién soy
para mostrar desde hoy
mi soberbia y mi poder?
   ¿Cómo a tu patria le has hecho
tal traición, que me ocultaste
a mí, pues que me negaste,
contra razón y derecho,
   este estado?

CLOTALDO.   ¡Ay de mí triste!

SEGISMUNDO.   Traidor fuiste con la ley,
lisonjero con el rey,
y cruel conmigo fuiste;
   y así el rey, la ley y yo,
entre desdichas tan fieras,
te condenan a que mueras
a mis manos.

CRIADO 2.º   Señor . . .

SEGISMUNDO.   No
me estorbe nadie, que es vana
diligencia: ¡y vive Dios!
si os ponéis delante vos,
os echo por la ventana.

CRIADO 2.º   Huye, Clotaldo.

CLOTALDO.   ¡Ay de ti,
qué soberbia vas mostrando,
sin saber que estás soñando!

(Vase.)

CRIADO 2.º   Advierte . . .

SEGISMUNDO.   Aparta de aquí.

CRIADO 2.º   Que a su rey obedeció.

SEGISMUNDO.   En lo que no es justa ley

no ha de obedecer al rey,
y su príncipe era yo.

CRIADO 2.º   El no debió examinar
si era bien hecho o mal hecho.

SEGISMUNDO. Que estáis mal con vos sospecho,
pues me dais que replicar.

CLARÍN.   Dice el príncipe muy bien,
y vos hicísteis muy mal.

CRIADO 2.º   ¿Quién os dió licencia igual?

CLARÍN.   Yo me la he tomado.

SEGISMUNDO.   ¿Quién
eres tú, dí?

CLARÍN.   Entremetido,
y deste oficio soy jefe,
porque soy el mequetrefe
mayor que se ha conocido.

SEGISMUNDO. Tú solo en tan nuevos mundos
me has agradado.

CLARÍN.   Señor,
soy un grande agradador
de todos los Segismundos.

ESCENA IV

ASTOLFO, SEGISMUNDO, CLARÍN, *Criados y Músicos.*

ASTOLFO.   ¡Feliz mil veces el día,
oh príncipe, que os mostráis,
sol de Polonia y llenáis
de resplandor y alegría
todos esos horizontes
con tan divino arrebol;
pues que salís como el sol
de los senos de los montes!
Salid, pues, y aunque tan tarde
se corona vuestra frente
del laurel resplandeciente,
tarde muera.

SEGISMUNDO.   Dios os guarde.

ASTOLFO.   El no haberme conocido
sólo por disculpa os doy
de no honrarme más.   Yo soy
Astolfo, duque he nacido
    de Moscovia, y primo vuestro:
haya igualdad entre los dos.

SEGISMUNDO.   Si digo que os guarde Dios,
¿bastante agrado no os muestro?
    Pero ya que haciendo alarde
de quien sois, desto os quejáis,
otra vez que me veáis
le diré a Dios que no os guarde.

CRI.2.° (*a* AST.).   Vuestra alteza considere
que como en montes nacido
con todos ha procedido.   (*A* SEGISMUNDO.)
Astolfo, señor, prefiere . . .

SEGISMUNDO.   Cansóme como llegó
grave a hablarme, y lo primero
que hizo, se puso el sombrero.

CRIADO 2.°   Es grande.

SEGISMUNDO.   Mayor soy yo.

CRIADO 2.°   Con todo eso, entre los dos
que haya más respeto es bien
que entre los demás.

SEGISMUNDO.   ¿Y quién
os mete conmigo a vos?

ESCENA V

ESTRELLA. *Dichos.*

ESTRELLA.   Vuestra alteza, señor, sea
muchas veces bien venido
al dosel que, agradecido,
le recibe y le desea,
    adonde, a pesar de engaños,
viva augusto y eminente,

                donde su vida se cuente
                por siglos, y no por años.

SEG. (*a* CLA.).   Dime tú ahora ¿ quién es
                esta beldad soberana ?
                ¿ Quién es esta diosa humana,
                a cuyos divinos pies
                    postra el cielo su arrebol ?
                ¿ Quién es esta mujer bella ?

CLARIN.   Es, señor, tu prima Estrella.

SEGISMUNDO.   Mejor dijeras el sol.   (*A* ESTRELLA.)
                    Aunque el parabién es bien
                darme del bien que conquisto,
                de sólo haberos hoy visto
                os admito el parabién:
                    y así, de llegarme a ver
                con el bien que no merezco,
                el parabién agradezco,
                Estrella, que amanecer
                    podéis, y dar alegría
                al más luciente farol.
                ¿ Qué dejáis hacer al sol,
                si os levantáis con el día ?
                    Dadme a besar vuestra mano,
                en cuya copa de nieve
                el aura candores bebe.

ESTRELLA.   Sed más galán cortesano.

ASTOLFO.   Si él toma la mano, yo   (*Aparte.*)
                soy perdido.

CRIADO 2.° (*aparte*).   El pesar sé
                de Astolfo, y le estorbaré.
                Advierte, señor, que no
                    es justo atreverse así,
                y estando Astolfo . . .

SEGISMUNDO.   ¿ No digo
                que vos no os metáis conmigo ?

CRIADO 2.°   Digo lo que es justo.

SEGISMUNDO.   A mí
                todo eso me causa enfado.

| | Nada me parece justo
en siendo contra mi gusto. |
| CRIADO 2.° | Pues yo, señor, he escuchado
de ti que en lo justo es bien
obedecer y servir. |
| SEGISMUNDO. | También oíste decir
que por un balcón a quien
me canse sabré arrojar. |
| CRIADO 2.° | Con los hombres como yo
no puede hacerse eso. |
| SEGISMUNDO. | ¿No?
¡Por Dios! que lo he de probar. |

*(Cógele en los brazos y éntrase, y todos tras él, volviendo
a salir inmediatamente.)*

| ASTOLFO. | ¿Qué es esto que llego a ver? |
| ESTRELLA. | Idle todos a estorbar. |

                         (Vase.)

| SEG. *(volv.)*. | Cayó del balcón al mar;
¡vive Dios, que pudo ser! |
| ASTOLFO. | Pues medid con más espacio
vuestras acciones severas,
que lo que hay de hombres a fieras,
hay desde un monte a palacio. |
| SEGISMUNDO. | Pues en dando tan severo
en hablar con entereza
quizá no hallaréis cabeza
en que se os tenga el sombrero. |

                    (Vase ASTOLFO.)

ESCENA VI

BASILIO, SEGISMUNDO, CLARÍN. *Criados.*

| BASILIO. | ¿Qué ha sido esto? |
| SEGISMUNDO. | Nada ha sido. |

                    A un hombre, que me ha cansado,
                    desde el balcón he arrojado.
CLAR. *(a* SEG.*)*. Que es el rey está advertido.
BASILIO.   ¿Tan presto una vida cuesta
                    tu venida al primer día?
SEGISMUNDO.   Díjome que no podía
                    hacerse, y gané la apuesta.
BASILIO.   Pésame mucho, que cuando,
                    príncipe, a verte he venido,
                    pensando hallarte advertido,
                    de hados y estrellas triunfando,
                       con tanto rigor te vea,
                    y que la primera acción
                    que has hecho en esta ocasión,
                    un grave homicidio sea.
                       ¿Con qué amor llegar podré
                    a darte ahora mis brazos,
                    si de tus soberbios lazos,
                    que están enseñados sé
                       a dar muerte?   ¿Quién llegó
                    a ver desnudo el puñal
                    que dió una herida mortal,
                    que no temiese?   ¿Quién vió
                       sangriento el lugar, adonde
                    a otro hombre le dieron muerte,
                    que no sienta?, que el más fuerte
                    a su natural responde.
                       Yo así, que en tus brazos miro
                    desta muerte el instrumento,
                    y miro el lugar sangriento,
                    de tus brazos me retiro;
                       y aunque en amorosos lazos
                    ceñir tu cuello pensé,
                    sin ellos me volveré,
                    que tengo miedo a tus brazos.
SEGISMUNDO.   Sin ellos me podré estar
                    como me he estado hasta aquí;
                    que un padre que contra mí

tanta rigor sabe usar,
 que su condición ingrata
de su lado me desvía,
como a una fiera me cría,
y como a un monstruo me trata
 y mi muerte solicita,
de poca importancia fué
que los brazos no me dé,
cuando el ser de hombre me quita.

BASILIO.
 Al cielo y a Dios pluguiera
que a dártelo no llegara;
pues ni tu voz escuchara,
ni tu atrevimiento viera.

SEGISMUNDO.
 Si no me le hubieras dado,
no me quejara de ti;
pero una vez dado, sí,
por habérmelo quitado;
 pues aunque el dar la acción es
más noble y más singular,
es mayor bajeza el dar,
para quitarlo después.

BASILIO.
 ¡ Bien me agradeces el verte,
de un humilde y pobre preso,
príncipe ya !

SEGISMUNDO.
     Pues en eso
¿ qué tengo que agradecerte ?
 Tirano de mi albedrío,
si viejo y caduco estás,
¿ muriéndote, qué me das ?
¿ Dasme más de lo que es mío ?
 Mi padre eres y mi rey;
luego toda esa grandeza
me da la naturaleza
por derecho de su ley.
 Luego aunque esté en tal estado,
obligado no te quedo,
y pedirte cuentas puedo
del tiempo que me has quitado

libertad, vida y honor;
y así, agradéceme a mí
que yo no cobre de ti,
pues eres tú mi deudor.

BASILIO. Bárbaro eres y atrevido:
cumplió su palabra el cielo;
y así, para él mismo apelo,
soberbio y desvanecido.

Y aunque sepas ya quién eres,
y desengañado estés,
y aunque en un lugar te ves
donde a todos te prefieres,

mira bien lo que te advierto,
que seas humilde y blando,
porque quizá estás soñando,
aunque ves que estás despierto.

(Vase.)

SEGISMUNDO. ¿Que quizá soñando estoy,
aunque despierto me veo?
No sueño, pues toco y creo
lo que he sido y lo que soy.

Y aunque ahora te arrepientas
poco remedio tendrás:
sé quien soy, y no podrás,
aunque suspires y sientas,

quitarme el haber nacido
desta corona heredero;
y si me viste primero
a las prisiones rendido,

fué porque ignoré quién era;
pero ya informado estoy
de quién soy, y sé que soy
un compuesto de hombre y fiera.

ESCENA VII

ROSAURA, *en traje de mujer;* SEGISMUNDO, CLARÍN, *Criados.*

ROS. *(aparte).*　　Siguiendo a Estrella vengo,
　　　　　　　y gran temor de hallar a Astolfo tengo;
　　　　　　　　que Clotaldo desea
　　　　　　que no sepa quién soy, y no me vea,
　　　　　　　porque dice que importa al honor mío;
　　　　　　　y de Clotaldo fío
　　　　　　　　su afecto, pues le debo agradecida
　　　　　　aquí el amparo de mi honor y vida.

CLAR. *(a* SEG.*).*　　¿Qué es lo que te ha agradado
　　　　　　más de cuanto aquí has visto y admirado?

SEGISMUNDO.　　　Nada me ha suspendido;
　　　　　　que todo lo tenía prevenido;
　　　　　　　mas si admirarme hubiera
　　　　　　algo en el mundo, la hermosura fuera
　　　　　　　de la mujer.　Leía
　　　　　　una vez yo en los libros que tenía,
　　　　　　　que lo que a Dios mayor estudio debe,
　　　　　　era el hombre, por ser un mundo breve;
　　　　　　　mas ya que lo es recelo
　　　　　　la mujer, pues ha sido un breve cielo;
　　　　　　　y más beldad encierra
　　　　　　que el hombre, cuanto va de cielo a tierra;
　　　　　　　y más si es la que miro.

ROS. *(ap.).*　El príncipe está aquí; yo me retiro.

SEGISMUNDO.　　Oye, mujer, detente;
　　　　　　no juntes el ocaso y el oriente,
　　　　　　　huyendo al primer paso:
　　　　　　que juntos el oriente y el ocaso,
　　　　　　　la luz y sombra fría,
　　　　　　serán sin duda síncopa del día.
　　　　　　　¿Pero qué es lo que veo?

ROSAURA.　Lo mismo que estoy viendo dudo y creo.

SEG. *(ap.).*　　Yo he visto esta belleza
　　　　　　otra vez.

ROS. *(ap.).*　　　　　　Yo esta pompa, esta grandeza

        he visto reducida
        a una estrecha prisión.

SEGISMUNDO (*aparte*).   Ya hallé mi vida,
        Mujer, que aqueste nombre
        es el mejor requiebro para el hombre:
          ¿ quién eres ? Que sin verte
        adoración me debes, y de suerte
          por la fe te conquisto,
        que me persuado a que otra vez te he visto.
          ¿ Quién eres, mujer bella ?

ROSAURA.   (Disimular me importa.) Soy de Estrella
        una infelice dama.

SEGISMUNDO.   No digas tal: di el sol, a cuya llama
          aquella estrella vive,
        pues de tus rayos resplandor recibe;
          yo vi un reino de colores
        que presidía entre escuadrón de flores
          la deidad de la rosa,
        y era su emperatriz por más hermosa;
          yo vi entre piedras finas
        de la docta academia de sus minas
          preferir el diamante,
        y ser su emperador por más brillante;
          yo en esas cortes bellas
        de la inquieta república de estrellas,
          vi en el lugar primero,
        por rey de las estrellas al lucero.
          Yo, en esferas perfectas,
        llamando el sol a cortes los planetas,
          le vi que presidía,
        como mayor oráculo del día.
          Pues ¿ cómo entre flores, entre doncellas,
        piedras, signos, planetas, las más bellas
          prefieren, tú has servido
        la de menos beldad, habiendo sido
          por más bella y hermosa,
        sol, lucero, diamante, estrella y rosa ?

ESCENA VIII

CLOTALDO, *que se queda al paño;* SEGISMUNDO, ROSAURA,
CLARÍN, *Criados.*

CLOT. (*aparte*).   A Segismundo reducir deseo,
                porque en fin le he criado: mas ¿qué veo?
ROSAURA.   Tu favor reverencio:
                respóndate retórico el silencio:
                cuando tan torpe la razón se halla,
                mejor habla, señor, quien mejor calla.
SEGISMUNDO.   No has de ausentarte, espera.
                ¿Cómo quieres dejar de esa manera
                a obscuras mi sentido?
ROSAURA.   Esta licencia a vuestra alteza pido.
SEGISMUNDO.   Irte con tal violencia
                no es pedirla, es tomarte la licencia.
ROSAURA.   Pues si tú no la das, tomarla espero.
SEGISMUNDO.   Harás que de cortés pase a grosero,
                porque la resistencia
                es veneno cruel de mi paciencia.
ROSAURA.   Pues cuando ese veneno,
                de furia, de rigor y saña lleno,
                la paciencia venciera,
                mi respeto no osara, ni pudiera.
SEGISMUNDO.   Sólo por ver si puedo,
                harás que pierda a tu hermosura el miedo,
                que soy muy inclinado
                a vencer lo imposible; hoy he arrojado
                de ese balcón a un hombre, que decía
                que hacerse no podía;
                y así por ver si puedo, cosa es llana
                que arrojaré tu honor por la ventana.
CLOT. (*aparte*).   Mucho se va empeñando.
                ¿Qué he de hacer, cielos, cuando
                tras un loco deseo
                mi honor segunda vez a riesgo veo?
ROSAURA.   No en vano prevenía
                a este reino infeliz tu tiranía

escándalos tan fuertes
de delitos, traiciones, iras, muertes.
    Mas ¿ qué ha de hacer un hombre,
que no tiene de humano más que el nombre,
    atrevido, inhumano,
cruel, soberbio, bárbaro y tirano,
    nacido entre las fieras ?

SEGISMUNDO.   Porque tú ese baldón no me dijeras,
    tan cortés me mostraba,
pensando que con esto te obligaba;
    mas si lo soy hablando deste modo,
has de decirlo, vive Dios, por todo. —
    Hola, dejadnos solos, y esa puerta
se cierre, y no entre nadie.

(Vanse CLARÍN *y los criados.)*

ROSAURA.   (Yo soy muerta.)
    Advierte . . .

SEGISMUNDO.   Soy tirano,
y ya pretendes reducirme en vano.

CLOT. *(aparte).*   ¡ Oh, qué lance tan fuerte !
Saldré a estorbarlo, aunque me dé la muerte.
    Señor, atiende, mira.   *(Llega.)*

SEGISMUNDO.   Segunda vez me has provocado a ira,
    viejo caduco y loco.
    ¿ Mi enojo y mi rigor tienes en poco ?
    ¿ Cómo hasta aquí has llegado ?

CLOTALDO.   De los acentos desta voz llamado,
    a decirte que seas
más apacible, si reinar deseas:
    y no por verte ya de todos dueño,
seas cruel, porque quizá es un sueño.

SEGISMUNDO.   A rabia me provocas,
cuando la luz del desengaño tocas.
    Veré, dándote muerte,
si es sueño o si es verdad.

(Al ir a sacar la daga lo detiene CLOTALDO, *y se pone de
rodillas.)*

CLOTALDO.   Yo desta suerte
        librar mi vida espero.
SEGISMUNDO.   Quita la osada mano del acero.
CLOTALDO.   Hasta que gente venga,
        que tu rigor y cólera detenga,
        no he de soltarte.
ROSAURA.   ¡ Ay cielo !
SEGISMUNDO.   Suelta, te digo,
        caduco, loco, bárbaro, enemigo,
        o será desta suerte   *(Luchan.)*
        dándote ahora entre mis brazos muerte.
ROSAURA.   Acudid todos, presto,
        que matan a Clotaldo.

                        (Vase.)

Sale ASTOLFO *a tiempo que cae* CLOTALDO *a sus pies, y él*
                se pone en medio.

                    ESCENA IX

        ASTOLFO, SEGISMUNDO, CLOTALDO.

ASTOLFO.   ¿ Pues qué es esto,
        príncipe generoso ?
        ¿ Así se mancha acero tan brioso
        en una sangre helada ?
        Vuelva a la vaina tan lucida espada.
SEGISMUNDO.   En viéndola teñida
        en esa infame sangre.
ASTOLFO.   Ya su vida
        tomó a mis pies sagrado,
        y de algo ha de servirle haber llegado.
SEGISMUNDO.   Sírvate a morir; pues desta suerte
        también sabré vengarme con tu muerte
        de aquel pasado enojo.
ASTOLFO.   Yo defiendo
        mi vida; así la majestad no ofendo.

(Saca Astolfo la espalda, y riñen.)

CLOTALDO. No le ofendas, señor.

ESCENA X

Basilio, Estrella *y acompañamiento;* Segismundo,
Astolfo, Clotaldo.

BASILIO. ¿ Pues aquí espadas ?

EST. *(aparte).* ¡ Astolfo es, ay de mí, penas airadas !

BASILIO. ¿ Pues qué es lo que ha pasado ?

ASTOLFO. Nada, señor, habiendo tú llegado.

(Envainan.)

SEGISMUNDO. Mucho, señor, aunque hayas tú venido;
yo a ese viejo matar he pretendido.

BASILIO. ¿ Respeto no tenías
a estas canas ?

CLOTALDO. Señor, ved que son mías:
que no importa veréis.

SEGISMUNDO. Acciones vanas,
querer que tenga yo respeto a canas;
pues aun ésas podría *(Al rey.)*
ser que viese a mis plantas algún día,
porque aun no estoy vengado
del modo injusto con que me has criado.

(Vase.)

BASILIO. Pues antes que lo veas,
volverás a dormir adonde creas
que cuanto te ha pasado,
como fué bien del mundo, fué soñado.

(Vanse el Rey, Clotaldo y el acompañamiento.)

ESCENA XI

Estrella, Astolfo.

ASTOLFO. ¡ Qué pocas veces el hado

que dice desdichas, miente,
pues es tan cierto en los males,
como dudoso en los bienes !
¡ Qué buen astrólogo fuera
si siempre casos crueles
anunciara, pues no hay duda
que ellos fueran verdad siempre !
Conocerse esta experiencia
en mí y Segismundo, puede,
Estrella, pues en los dos
hace muestras diferentes.
En él previno rigores,
soberbias, desdichas, muertes,
y en todo dijo verdad,
porque todo, al fin, sucede;
pero en mí, que al ver, señora,
esos rayos excelentes,
de quien el sol fué una sombra
y el cielo un amago breve,
que me previno venturas,
trofeos, aplausos, bienes,
dijo mal, y dijo bien;
pues sólo es justo que acierte
cuando amaga con favores
y ejecuta con desdenes.

ESTRELLA.   No dudo que esas finezas
son verdades evidentes;
mas serán por otra dama,
cuyo retrato pendiente
al cuello trajisteis cuando
llegasteis, Astolfo, a verme;
y siendo así, esos requiebros
ella sola los merece.
Acudid a que ella os pague,
que no son buenos papeles
en el consejo de amor
las finezas ni las fees

que se hicieron en servicio
de otras damas y otros reyes.

ESCENA XII

ROSAURA, *que se queda al paño;* ESTRELLA, ASTOLFO.

ROS. *(aparte.)* ¡ Gracias a Dios que llegaron
ya mis desdichas crueles
al término suyo, pues
quien esto ve nada teme !

ASTOLFO. Yo haré que el retrato salga
del pecho, para que entre
la imagen de tu hermosura.
Donde entra Estrella no tiene
lugar la sombra, ni estrella
donde el sol; voy a traerle.

(Aparte.) Perdón Rosaura hermosa,
este agravio, porque ausentes,
no se guardan más fe que ésta
los hombres y las mujeres.

(Vase.)

(Adelántase ROSAURA.*)*

ROS. *(aparte).* Nada he podido escuchar,
temerosa que me viese.

ESTRELLA. ¡ Astrea !

ROSAURA.   Señora mía.

ESTRELLA. Heme holgado que tú fueses
la que llegase hasta aquí;
porque de ti solamente
fiara un secreto.

ROSAURA.   Honras,
señora, a quien te obedece.

ESTRELLA. En el poco tiempo, Astrea,
que ha que te conozco, tienes
de mi voluntad las llaves;

por esto, y por ser quien eres,
me atrevo a fiar de ti
lo que aun de mí muchas veces
recaté.

ROSAURA. Tu esclava soy.

ESTRELLA. Pues para decirlo en breve,
mi primo Astolfo (bastara
que mi primo te dijese,
porque hay cosas que se dicen
con pensarlas solamente),
ha de casarse conmigo,
si es que la fortuna quiere
que con una dicha sola
tantas desdichas descuente.
Pesóme que el primer día
echado al cuello trajese
el retrato de una dama;
habléle de él cortésmente,
es galán, y quiere bien,
fué por él, y ha de traerle
aquí; embarázame mucho
que él a mí a dármele llegue:
quédate aquí, y cuando venga,
le dirás que te le entregue
a ti.   No te digo más;
discreta y hermosa eres:
bien sabrás lo que es amor.

(Vase.)

ESCENA XIII

ROSAURA. ¡ Ojalá no lo supiese !
¡ Válgame el cielo ! ¿ quién fuera
tan atenta y tan prudente,
que supiera aconsejarse
hoy en ocasión tan fuerte ?
¿ Habrá persona en el mundo

a quien el cielo inclemente
con más desdichas combata
y con más pesares cerque?
¿Qué haré en tantas confusiones,
donde imposible parece
que halle razón que me alivie,
ni alivio que me consuele?
Desde la primer desdicha,
no hay suceso ni accidente
que otra desdicha no sea;
que unas a otras suceden,
herederas de sí mismas.
A la imitación del Fénix,
unas de las otras nacen,
viviendo de lo que mueren,
y siempre de sus cenizas
está el sepulcro caliente.
Que eran cobardes, decía
un sabio, por parecerle
que nunca andaba una sola;
yo digo que son valientes,
pues siempre van adelante,
y nunca la espalda vuelven:
quien las llevare consigo,
a todo podrá atreverse,
pues en ninguna ocasión
no haya miedo que le dejen.
Dígalo yo, pues en tantas
como a mi vida suceden,
nunca me he hallado sin ellas,
ni se han cansado hasta verme,
herida de la fortuna,
en los brazos de la muerte.
¡ Ay de mí ! ¿qué debo hacer
hoy en la ocasión presente?
Si digo quien soy, Clotaldo,
a quien mi vida le debe
este amparo y este honor,

conmigo ofenderse puede;
pues me dice que callando
honor y remedio espere.
Si no he de decir quien soy
a Astolfo, y él llega a verme
¿cómo he de disimular?
Pues aunque fingirlo intenten
la voz, la lengua y los ojos,
les dirá el alma que mienten.
¿Qué haré? ¿Mas para qué estudio
lo que haré, si es evidente
que por más que lo prevenga,
que lo estudie y que lo piense,
en llegando la ocasión
ha de hacer lo que quisiere
el dolor?, porque ninguno
imperio en sus penas tiene.
Y pues a determinar
lo que ha de hacer no se atreve
el alma, llegue el dolor
hoy a su término, llegue
la pena a su extremo, y salga
de dudas y pareceres
de una vez; pero hasta entonces
¡valedme, cielos, valedme!

ESCENA XIV

Astolfo, *que trae el retrato.* Rosaura.

ASTOLFO.   Éste es, señora, el retrato;
mas ¡ay Dios!
ROSAURA.   ¿Qué se suspende
vuestra alteza? ¿qué se admira?
ASTOLFO.   De oírte, Rosaura, y verte.
ROSAURA.   ¿Yo Rosaura? Hase engañado
vuestra alteza, si me tiene
por otra dama; que yo

soy Astrea, y no merece
mi humildad tan grande dicha
que esa turbación le cueste.

ASTOLFO.   Basta, Rosaura, el engaño
porque el alma nunca miente,
y aunque como Astrea te mire,
como a Rosaura te quiere.

ROSAURA.   No he entendido a vuestra altreza,
y así no sé responderle:
sólo lo que yo diré
es que Estrella (que lo puede
ser de Venus) me mandó
que en esta parte le espere,
y de la suya le diga,
que aquel retrato me entregue,
que está muy puesto en razón,
y yo misma se lo lleve.
Estrella lo quiere así,
porque aun las cosas más leves
como sean en mi daño,
es Estrella quien las quiere.

ASTOLFO.   Aunque más esfuerzos hagas,
¡ oh, qué mal, Rosaura, puedes
disimular !   Di a los ojos
que su música concierten
con la voz; porque es forzoso
que desdiga y que disuene
tan destemplado instrumento,
que ajustar y medir quiere
la falsedad de quien dice,
con la verdad de quien miente.

ROSAURA.   Ya digo que sólo espero
el retrato.

ASTOLFO.   Pues que quieres
llevar al fin el engaño,
con él quiero responderte.
Dirásle, Astrea, a la infanta,
que yo la estimo de suerte

que, pidiéndome un retrato,
poca fineza parece
enviársele, y así,
porque le estime y le precie
le envío el original;
y tú llevársele puedes,
pues ya le llevas contigo,
como a ti misma te lleves.

ROSAURA.   Cuando un hombre se dispone,
restado, altivo y valiente,
a salir con una empresa
aunque por trato le entreguen
lo que valga más, sin ella
necio y desairado vuelve.
Yo vengo por un retrato,
y aunque un original lleve
que vale más, volveré
desairada: y así, déme
vuestra alteza ese retrato,
que sin él no he de volverme.

ASTOLFO.   ¿Pues cómo, si no he de darle,
le has de llevar?

ROSAURA.   Desta suerte.
Suéltale, ingrato.   *(Trata de quitársele.)*

ASTOLFO.   Es en vano.

ROSAURA.   ¡ Vive Dios, que no ha de verse
en manos de otra mujer !

ASTOLFO.   Terrible estás.

ROSAURA.   Y tú aleve.

ASTOLFO.   Ya basta, Rosaura mía.

ROSAURA.   ¿ Yo tuya ?   Villano, mientes.

(Están asidos ambos del retrato.)

ESCENA XV

Estrella, Rosaura, Astolfo.

ESTRELLA.   Astrea, Astolfo, ¿ qué es esto ?   *(Aparte.)*
ASTOLFO.   Aquésta es Estrella.
ROSAURA *(aparte).*   Déme
            para cobrar mi retrato,
            ingenio el amor.   Si quieres   *(A Estrella.)*
            saber lo que es, yo, señora,
            te lo diré.
ASTOLFO *(aparte a Ros.).*   ¿ Qué pretendes ?
ROSAURA.   Mandásteme que esperase
            aquí a Astolfo, y le pidiese
            un retrato de tu parte.
            Quedé sola, y como vienen
            de unos discursos a otros
            las noticias fácilmente,
            viéndote hablar de retratos,
            con su memoria acordéme
            de que tenía uno mío
            en la manga.   Quise verle,
            porque una persona sola
            con locuras se divierte;
            cayóseme de la mano
            al suelo: Astolfo, que viene
            a entregarte el de otra dama,
            le levantó, y tan rebelde
            está en dar el que le pides,
            que en vez de dar uno, quiere
            llevar otro; pues el mío
            aun no es posible volverme,
            con ruegos y persuasiones;
            colérica e impaciente
            yo, se le quise quitar.
            Aquél que en la mano tiene,
            es mío, tú lo verás
            con ver si se me parece.

ESTRELLA.	Soltad, Astolfo, el retrato.

(Quítasele de la mano.)

ASTOLFO.	Señora . . .
ESTRELLA.	No son crueles

a la verdad los matices.

ROSAURA.	¿ No es mío ?
ESTRELLA.	¿ Qué duda tiene?
ROSAURA.	Ahora di que te dé el otro.
ESTRELLA.	Toma tu retrato, y vete.
ROS. *(ap.)*.	Yo he cobrado mi retrato,

venga ahora lo que viniere.

(Vase.)

ESCENA XVI

ESTRELLA, ASTOLFO.

ESTRELLA. Dadme ahora el retrato vos
que os pedí; aunque no piense
veros ni hablaros jamás,
no quiero, no, que se quede
en vuestro poder, siquiera
porque yo tan neciamente
le he pedido.

ASTOLFO *(aparte)*. ¿ Cómo puedo
salir de lance tan fuerte ?
Aunque quiera, hermosa Estrella,
servirte y obedecerte,
no podré darte el retrato
que me pides, porque . . .

ESTRELLA. Eres
villano y grosero amante.
No quiero que me le entregues;
porque yo tampoco quiero,
con tomarle, que te acuerdes
que te le he pedido yo.

(Vase.)

ASTOLFO.	¡ Oye, escucha, mira, advierte !
	¡ Válgate Dios por Rosaura !
	¿ Dónde, cómo o de qué suerte
	hoy a Polonia has venido
	a perderme y a perderte ?

Prisión del príncipe en la torre.

ESCENA XVII

SEGISMUNDO, *como al principio, con pieles y cadenas, echado en el suelo;* CLOTALDO, *dos Criados y* CLARÍN.

CLOTALDO.	Aquí le habéis de dejar,
	pues hoy su soberbia acaba
	donde empezó.
UN CRIADO.	Como estaba
	la cadena vuelvo a atar.
CLARIN.	No acabes de despertar,
	Segismundo, para verte
	perder, trocada la suerte,
	siendo tu gloria fingida,
	una sombra de la vida
	y una llama de la muerte.
CLOTALDO.	A quien sabe discurrir
	así, es bien que se prevenga
	una estancia, donde tenga
	harto lugar de argüir.
	Éste es al que habéis de asir. (*A los criados.*)
	y en este cuarto encerrar.

(*Señalando la pieza inmediata.*)

CLARIN.	¿ Por qué a mí ?
CLOTALDO.	Porque ha de estar
	guardado en prisión tan grave,
	Clarín que secretos sabe,
	donde no pueda sonar.

CLARIN.   ¿Yo, por desdicha, solicito,
                     dar muerte a mi padre ?   No.
                     ¿Arrojé del balcón yo
                     al Icaro de poquito ?
                     ¿Yo muero ni resucito ?
                     ¿Yo sueño o duermo ?   ¿A qué fin
                     me encierran ?

CLOTALDO.   Eres Clarín.

CLARIN.   Pues ya digo que seré
                     corneta, y que callaré,
                     que es instrumento ruin.

(*Llévanle, y queda solo* CLOTALDO.)

ESCENA XVIII

BASILIO, *rebozado.* CLOTALDO, SEGISMUNDO, *adormecido.*

BASILIO.   Clotaldo.

CLOTALDO.   ¡Señor !   ¿así
                     viene vuestra majestad ?

BASILIO.   La necia curiosidad
                     de ver lo que pasa aquí
                     a Segismundo (¡ ay de mí !)
                     deste modo me ha traído.

CLOTALDO.   Mírale allí reducido
                     a su miserable estado.

BASILIO.   ¡ Ay, príncipe desdichado,
                     y en triste punto nacido !
                        Llega a despertarle, ya
                     que fuerza y vigor perdió
                     con el opio que bebió.

CLOTALDO.   Inquieto, señor, está,
                     y hablando.

BASILIO.   ¿Qué soñará
                     ahora ?   Escuchemos, pues.

SEGISMUNDO (*entre sueños*).
                     Piadoso príncipe es

el que castiga tiranos:
Clotaldo muera a mis manos.
Mi padre bese mis pies.

CLOTALDO.   Con la muerte me amenaza.

BASILIO.   A mí con rigor me afrenta.

CLOTALDO.   Quitarme la vida intenta.

BASILIO.   Rendirme a sus plantas trata.

SEGISMUNDO. *(entre sueños).*

Salga a la anchurosa plaza
del gran teatro del mundo
este valor sin segundo:
porque mi venganza cuadre,
al príncipe Segismundo
vean triunfar de su padre.   *(Despierta.)*
   Mas ¡ ay de mí !   ¿ dónde estoy ?

BASILIO.   Pues a mí no me ha de ver.   *(A* CLOTALDO.*)*
Ya sabes lo que has de hacer.
Desde allí a escucharte voy.

    (Retírase.)

SEGISMUNDO.   ¿ Soy yo por ventura ?   ¿ soy
el que preso y aherrojado
llego a verme en tal estado ?
¿ No sois mi sepulcro vos
torre ?   Sí.   ¡ Válgame Dios,
qué de cosas he soñado !

CLOT. *(ap.).*   A mí me toca llegar
a hacer la deshecha ahora. —
¿ Es ya de dispertar hora ?

SEGISMUNDO.   Sí, hora es ya de dispertar.

CLOTALDO.   ¿ Todo el día te has de estar
durmiendo ?   ¿ Desde que yo
al águila que voló
con tardo vuelo seguí,
y te quedaste tú aquí,
nunca has dispertado ?

SEGISMUNDO.   No,
ni aun agora he dispertado;

que según, Clotaldo, entiendo,
todavía estoy durmiendo:
y no estoy muy engañado;
porque si ha sido soñado,
lo que vi palpable y cierto,
lo que veo será incierto;
y no es mucho que rendido,
pues veo estando dormido,
que sueño estando dispierto.

CLOTALDO.   Lo que soñaste me di.
SEGISMUNDO. Supuesto que sueño fué,
no diré lo que soñé.
Lo que vi, Clotaldo, sí.
Yo disperté, yo me vi
(¡ qué crueldad tan lisonjera !)
en un lecho que pudiera,
con matices y colores,
ser el catre de las flores
que tejió la Primavera.

Allí mil nobles rendidos
a mis pies nombre me dieron
de su príncipe y sirvieron
galas, joyas y vestidos.
La calma de mis sentidos
tú trocaste en alegría,
diciendo la dicha mía,
que aunque estoy de esta manera,
príncipe de Polonia era.

CLOTALDO.   Buenas albricias tendría.
SEGISMUNDO.   No muy buenas: por traidor,
con pecho atrevido y fuerte
dos veces te daba muerte.
CLOTALDO.   ¿ Para mí tanto rigor ?
SEGISMUNDO. De todos era señor,
y de todos me vengaba;
sólo a una mujer amaba . . .
Que fué verdad, creo yo,

en que todo se acabó,
y esto sólo no se acaba.

(Vase el rey.)

CLOTALDO *(ap.).* (Enternecido se ha ido
el rey de haberlo escuchado.)
Como habíamos hablado,
de aquella águila, dormido,
tu sueño imperios han sido,
mas en sueño fuera bien
honrar entonces a quien
te crió en tantos empeños,
Segismundo: que aun en sueños,
no se pierde el hacer bien.

(Vase.)

ESCENA XIX

SEGISMUNDO.   Es verdad; pues reprimamos
esta fiera condición,
esta furia, esta ambición,
por si alguna vez soñamos.
Y si haremos, pues estamos
en mundo tan singular,
que el vivir sólo es soñar;
y la experiencia me enseña,
que el hombre que vive, sueña
lo que es, hasta dispertar.
    Sueña el rey que es rey, y vive
con este engaño mandando,
disponiendo y gobernando;
y este aplauso, que recibe
prestado, en el viento escribe;
y en cenizas le convierte
la muerte (¡ desdicha fuerte !):
¿ que hay quien intente reinar
viendo que ha de dispertar

en el sueño de la muerte ?

Sueña el rico en su riqueza,
que más cuidado le ofrece;
sueña el pobre que padece
su miseria y su pobreza;
sueña el que a medrar empieza,
sueña el que afana y pretende,
sueña el que agravia y ofende,
y en el mundo, en conclusión,
todos sueñan lo que son,
aunque ninguno lo entiende.

Yo sueño que estoy aquí,
destas prisiones cargado;
y soñé que en otro estado
más lisonjero me vi.
¿ Qué es la vida ? Un frenesí.
¿ Qué es la vida ? Una ilusión,
una sombra, una ficción,
y el mayor bien es pequeño:
que toda la vida es sueño,
y los sueños sueños son.

JORNADA TERCERA

ESCENA PRIMERA

CLARIN.   En una encantada torre,
por lo que sé, vivo preso.
¿ Qué me harán por lo que ignoro,
si por lo que sé me han muerto ?
¡ Que un hombre con tanta hambre
viniese a morir viviendo !
Lástima tengo de mí;
todos dirán: « Bien lo creo »;
y bien se puede creer,
pues para mí este silencio
no conforma con el nombre
Clarín, y callar no puedo.
Quien me hace compañía
si a decirlo, acierto,
son arañas y ratones,
¡ miren qué dulces jilgueros !
De los sueños de esta noche
la triste cabeza tengo
llena de mil chirimías,
de trompetas y embelecos,
de procesiones y cruces,
de disciplinantes; y estos,
unos suben, otros bajan;
unos se desmayan viendo
la sangre que llevan otros;
mas yo, la verdad diciendo,
de no comer me desmayo;
que en una prisión me veo,
donde ya todos los días
en el filósofo leo
Nicomedes, y las noches
en el concilio Niceno.
Si llaman santo al callar,

como en calendario nuevo,
San Secreto es para mí,
pues le ayuno y no le huelgo;
aunque está bien merecido
el castigo que padezco,
pues callé, siendo criado,
que es el mayor sacrilegio.

(Ruido de cajas y clarines, y voces dentro.)

ESCENA II

SOLDADOS, CLARÍN.

SOL. 1.º *(den.)*. Ésta es la torre en que está.
Echad la puerta en el suelo.
Entrad todos.

CLARIN.   ¡ Vive Dios !
Que a mí me buscan es cierto,
pues que dicen que aquí estoy.
¿ Qué me querrán ?

SOLDADO 1.º *(dentro)*.   Entrad dentro.

(Salen varios soldados.)

SOLDADO 2.º Aquí está.

CLARIN.   No está.

SOLDADOS *(todos)*.   Señor . . .

CLARIN *(ap.)*. ¿ Si vienen borrachos éstos ?

SOLDADO 1.º Tú nuestro príncipe eres;
ni admitimos ni queremos
sino al señor natural,
y no a príncipe extranjero,
a todos nos da los pies.

SOLDADOS. ¡ Viva el gran príncipe nuestro !

CLARIN *(ap.)*. Vive Dios, que va de veras.
¿ Si es costumbre en este reino
prender uno cada día
y hacerle príncipe, y luego

volverle a la torre ? Sí,
pues cada día lo veo:
fuerza es hacer mi papel.

SOLDADOS. Danos tus plantas.

CLARIN. No puedo
porque las he menester
para mí, y fuera defecto
ser príncipe desplantado.

SOLDADO 2.° Todos a tu padre mesmo
le dijimos, que a ti sólo
por príncipe conocemos.
No al de Moscovia.

CLARIN. ¿ A mi padre
le perdisteis el respeto ?
Sois unos tales por cuales.

SOLDADO 2.° Fué lealtad de nuestro pecho.

CLARIN. Si fué lealtad, yo os perdono.

SOLDADO 2.° Sal a restaurar tu imperio.
¡ Viva Segismundo !

TODOS. ¡ Viva !

CLARIN (ap.). ¿ Segismundo dicen ? Bueno:
Segismundos llaman todos
los príncipes contrahechos.

ESCENA III

SEGISMUNDO, CLARÍN, Soldados.

SEGISMUNDO. ¿ Quién nombra aquí a Segismundo ?

CLARIN (ap.). ¡ Mas que soy príncipe huero !

SOLDADO 1.° ¿ Quién es Segismundo ?

SEGISMUNDO. Yo.

SOLDADO 2.° (a CLARÍN).
¿ Pues cómo, atrevido y necio,
tú te hacías Segismundo ?

CLARIN. ¿ Yo Segismundo ? Eso niego.
Vosotros fuisteis los que
me segismundeasteis: luego

vuestra ha sido solamente
necedad y atrevimiento.

SOLDADO 1.º Gran príncipe Segismundo,
(que las señas que traemos
tuyas son, aunque por fe
te aclamamos señor nuestro),
tu padre, el gran rey Basilio,
temeroso que los cielos
cumplan un hado, que dice
que ha de verse a tus pies puesto,
vencido de ti, pretende
quitarte acción y derecho
y dársele a Astolfo, duque
de Moscovia. Para esto
juntó su corte, y el vulgo,
penetrando ya y sabiendo
que tiene rey natural
no quiere que un extranjero
venga a mandarle. Y así,
haciendo noble desprecio
de la inclemencia del hado,
te ha buscado donde preso
vives, para que asistido
de sus armas, y saliendo
desta torre a restaurar
tu imperial corona y cetro,
se la quites a un tirano.
Sal, pues; que en ese desierto,
ejército numeroso
de bandidos y plebeyos
te aclama: la libertad
te espera: oye sus acentos.

VOCES (den.). ¡ Viva Segismundo, viva !

SEGISMUNDO. ¿ Otra vez (¡ qué es esto, cielos !)
queréis que sueñe grandezas,
que ha de deshacer el tiempo ?
¿ Otra vez queréis que vea
entre sombras y bosquejos

la majestad y la pompa
desvanecida del viento?
¿Otra vez queréis que toque
el desengaño, o el riesgo
a que el humano poder
nace humilde y vive atento?
Pues no ha de ser, no ha de ser
mirarme otra vez sujeto
a mi fortuna; y pues sé
que toda esta vida es sueño,
idos, sombras, que fingís
hoy a mis sentidos muertos
cuerpo, y voz, siendo verdad
que ni tenéis voz ni cuerpo;
que no quiero majestades
fingidas, pompas no quiero
fantásticas, ilusiones
que al soplo menos ligero
del aura han de deshacerse,
bien como el florido almendro,
que por madrugar sus flores,
sin aviso y sin consejo,
al primer soplo se apagan,
marchitando y desluciendo
de sus rosados capullos
belleza, luz y ornamento.
Ya os conozco, ya os conozco.
Y sé que os pasa lo mesmo
con cualquiera que se duerme:
para mí no hay fingimientos;
que, desengañado ya,
sé bien que *la vida es sueño*.

SOLDADO 2.° Si piensas que te engañamos,
vuelve a esos montes soberbios
los ojos, para que veas
la gente que aguarda en ellos
para obedecerte.

SEGISMUNDO.   Ya
otra vez vi aquesto mesmo
tan clara y distintamente
como ahora lo estoy viendo,
y fué sueño.

SOLDADO 2.°   Cosas grandes
siempre, gran señor trajeron
anuncios; y esto sería,
si lo soñaste primero.

SEGISMUNDO. Dices bien, anuncio fué;
y acaso que fuese cierto,
pues que la vida es tan corta,
soñemos, alma, soñemos
otra vez; pero ha de ser
con atención y consejo
de que hemos de dispertar
deste gusto al mejor tiempo;
que llevándolo sabido,
será el desengaño menos;
que es hacer burla del daño
adelantarle el consejo.
Y con esta prevención
de que cuando fuese cierto,
es todo el poder prestado
y ha de volverse a su dueño,
atrevámonos a todo. —
Vasallos, yo os agradezco
la lealtad; en mí lleváis
quien os libre osado y diestro
de extranjera esclavitud.
Tocad al arma, que presto
veréis mi inmenso valor.
Contra mi padre pretendo
tomar armas, y sacar
verdaderos a los cielos.
Presto he de verle a mis plantas . . . *(Aparte.)*
Mas si antes de esto dispierto,

¿no será bien no decirlo,
supuesto que no he de hacerlo?

TODOS.   ¡Viva Segismundo, viva!

ESCENA IV

CLOTALDO, SEGISMUNDO, CLARÍN, *Soldados*.

CLOTALDO.   ¿Qué alboroto es éste, cielos?
SEGISMUNDO. Clotaldo.
CLOTALDO.   Señor ... (*Aparte.*) En mí
su rigor prueba.
CLARÍN (*aparte*).   Yo apuesto
que le despeña del monte.
                    (*Vase.*)
CLOTALDO.   A tus reales plantas llego,
ya sé que a morir.
SEGISMUNDO.   Levanta,
levanta, padre, del suelo;
que tú has de ser norte y guía
de quien fíe mis aciertos;
que ya sé que mi crianza
a tu mucha lealtad debo.
Dame los brazos.
CLOTALDO.   ¿Qué dices?
SEGISMUNDO. Que estoy soñando, y que quiero
obrar bien, pues no se pierde
el hacer bien, aun en sueños.
CLOTALDO.   Pues, señor, si el obrar bien
es ya tu blasón, es cierto
que no te ofenda el que yo
hoy solicite lo mesmo.
¡A tu padre has de hacer guerra!
Yo aconsejarte no puedo
contra mi rey, ni valerte.
A tus plantas estoy puesto,
dame la muerte.

SEGISMUNDO.   ¡ Villano,
              traidor, ingrato ! *(Aparte.)* Mas, ¡ cielos !
              el reportarme conviene,
              que aun no sé si estoy dispierto.
              Clotaldo, vuestro valor
              os envidio y agradezco.
              Idos a servir al rey,
              que en el campo nos veremos. —
              Vosotros tocad al arma.

CLOTALDO.   Mil veces tus plantas beso.

                        (Vase.)

SEGISMUNDO.   A reinar, fortuna, vamos;
              no me despiertes si duermo,
              y si es verdad, no me aduermas.
              Mas sea verdad o sueño,
              obrar bien es lo que importa;
              si fuere verdad, por serlo;
              si no, por ganar amigos
              para cuando despertemos.

                  (Vanse, tocando cajas.)

              Salón del palacio real.

                  ESCENA V

              BASILIO y ASTOLFO.

BASILIO.   ¿ Quién, Astolfo, podrá parar prudente
              la furia de un caballo desbocado ?
              ¿ Quién detener de un río la corriente
              que corre al mar soberbio despeñado ?
              ¿ Quién un peñasco suspender valiente
              de la cima de un monte desgajado ?
              Pues todo fácil de parar se mira,
              más que de un vulgo la soberbia ira.

Dígalo en bandos el rumor partido,
pues se oye resonar en lo profundo
de los montes el eco repetido,
unos ¡ Astolfo ! y otros ¡ Segismundo !
El dosel de la jura, reducido
a segunda intención, a horror segundo,
teatro funesto es, donde importuna
representa tragedias la fortuna.

ASTOLFO. Señor, suspéndase hoy tanta alegría;
cese el aplauso y gusto lisonjero,
que tu mano feliz me prometía;
que si Polonia (a quien mandar espero)
hoy se resiste a la obediencia mía,
es porque la merezca yo primero.
Dadme un caballo y de arrogancia lleno,
rayo descienda el que blasona trueno.

(Vase.)

BASILIO. Poco reparo tiene lo infalible,
y mucho riesgo lo previsto tiene:
Si ha de ser, la defensa es imposible,
que quien la excusa más, más la previene.
¡ Dura ley ! ¡ fuerte caso ! ¡ horror terrible !
Quien piensa huir el riesgo, al riesgo viene;
con lo que yo guardaba me he perdido;
yo mismo, yo mi patria he destruído.

ESCENA VI

ESTRELLA, BASILIO.

ESTRELLA. Si tu presencia, gran señor, no trata
de enfrenar el tumulto sucedido,
que de uno en otro bando se dilata,
por las calles y plazas dividido,
verás tu reino en ondas de escarlata
nadar, entre la púrpura teñido
de su sangre, que ya con triste modo,

todo es desdichas y tragedias todo.

    Tanta es la ruina de tu imperio, tanta
la fuerza del rigor duro, sangriento,
que visto admira y escuchado espanta.
El sol se turba y se embaraza el viento;
cada piedra una pirámide levanta,
y cada flor construye un monumento,
cada edificio es un sepulcro vivo,
cada soldado un esqueleto vivo.

ESCENA VII

Clotaldo, Basilio, Estrella.

CLOTALDO.   ¡ Gracias a Dios que vivo a tus pies llego !

BASILIO.   Clotaldo, ¿ pues qué hay de Segismundo ?

CLOTALDO.   Que el vulgo, monstruo despeñado y ciego,
la torre penetró, y de lo profundo
della sacó su príncipe, que luego
que vió segunda vez su honor segundo,
valiente se mostró, diciendo fiero,
que ha de sacar al cielo verdadero.

BASILIO.   Dame un caballo, porque yo en persona
vencer valiente un hijo ingrato quiero;
y en la defensa ya de mi corona
lo que la ciencia erró, venza el acero.

    (Vase.)

ESTRELLA.   Pues yo al lado del sol seré Belona:
poner mi nombre junto al suyo espero;
que he de volar sobre tendidas alas
a competir con la deidad de Palas.

    (Vase, y tocan al arma.)

ESCENA VIII

ROSAURA, *que detiene a* CLOTALDO.

ROSAURA.
Aunque el valor que se encierra
en tu pecho, desde allí
da voces, óyeme a mí,
que yo sé que todo es guerra.

Bien sabes que yo llegué
pobre, humilde, desdichada
a Polonia, y amparada
de tu valor, en ti hallé
piedad; mandásteme (¡ ay cielos !)
que disfrazada viviese
en palacio, y pretendiese,
disimulando mis celos,
guardarme de Astolfo. En fin
él me vió, y tanto atropella
mi honor, que viéndome, a Estrella
de noche habla en un jardín;
déste la llave he tomado,
y te podré dar lugar
de que en él puedas entrar
a dar fin a mi cuidado.

Así, altivo, osado y fuerte,
volver por mi honor podrás,
pues que ya resuelto estás
a vengarme con su muerte.

CLOTALDO.
Verdad es que me incliné,
desde el punto que te vi,
a hacer, Rosaura, por ti
(testigo tu llanto fué)
cuanto mi vida pudiese.
Lo primero que intenté,
quitarte aquel traje fué;
porque, si acaso, te viese
Astolfo en tu propio traje,
sin juzgar a liviandad

la loca temeridad
que hace del honor ultraje.

En este tiempo trazaba
cómo cobrar se pudiese
tu honor perdido, aunque fuese
(tanto tu honor me arrastraba)

dando muerte a Astolfo. ¡ Mira
qué caduco desvarío !
Si bien, no siendo rey mío,
ni me asombra, ni me admira.

Darle pensé muerte; cuando
Segismundo pretendió
dármela a mí, y él llegó,
su peligro atropellando,

a hacer en defensa mía
muestras de su voluntad,
que fueron temeridad,
pasando de valentía.

¿ Pues cómo yo ahora (advierte),
teniendo alma agradecida
a quien me ha dado la vida
le tengo de dar la muerte ?

Y así, entre los dos partido
el afecto y el cuidado,
viendo que a ti te la he dado,
y que dél la he recibido,

no sé a qué parte acudir:
no sé a qué parte ayudar,
si a ti me obligué con dar,
dél lo estoy con recibir;

y así, en la acción que se ofrece,
nada a mi amor satisface,
porque soy persona que hace,
y persona que padece.

ROSAURA.   No tengo que prevenir
que en un varón singular,
cuanto es noble acción el dar,
es bajeza el recibir.

Y este principio asentado,
no has de estarle agradecido,
supuesto que si él ha sido
el que la vida te ha dado,
    y tú a mí, evidente cosa
es, que él forzó su nobleza
a que hiciese una bajeza,
y yo una acción generosa.
    Luego estás dél ofendido,
luego estás de mí obligado,
supuesto que a mí me has dado
lo que dél has recibido;
    y así debes acudir
a mi honor en riesgo tanto,
pues yo le prefiero, cuanto
va de dar a recibir.

CLOTALDO.   Aunque la nobleza vive
de la parte del que da,
el agradecerla está
de parte del que recibe.
    Y pues ya dar he sabido,
ya tengo con nombre honroso
el nombre de generoso:
déjame el de agradecido,
    pues le puedo conseguir
siendo agradecido, cuanto
liberal, pues honra tanto
el dar como el recibir.

ROSAURA.   De ti recibí la vida,
y tú mismo me dijiste,
cuando la vida me diste,
que la que estaba ofendida
    no era vida: luego yo
nada de ti he recibido,
pues vida no vida ha sido
la que tu mano me dió.
    Y si debes ser primero
liberal que agradecido

(como de ti mismo he oído),
que me des la vida espero,
   que no me la has dado; y pues
el dar engrandece más,
si antes liberal, serás
agradecido después.

CLOTALDO.   Vencido de tu argumento,
antes liberal seré.
Yo, Rosaura, te daré
mi hacienda, y en un convento
   vive; que está bien pensado
el medio que solicito;
pues huyendo de un delito,
te recoges a un sagrado;
   que cuando desdichas siente
el reino tan dividido,
habiendo noble nacido,
no he de ser quien las aumente.
   Con el remedio elegido
soy en el reino leal,
soy contigo liberal,
con Astolfo agradecido;
   y así escoge el que te cuadre,
quedándose entre los dos,
que no hiciera ¡ vive Dios !
más, cuando fuera tu padre.

ROSAURA.   Cuando tú mi padre fueras,
sufriera esa injuria yo;
pero no siéndolo, no.

CLOTALDO. ¿ Pues qué es lo que hacer esperas ?

ROSAURA.   Matar al duque.

CLOTALDO.   ¿ Una dama,
que padre no ha conocido,
tanto valor ha tenido ?

ROSAURA. Sí.

CLOTALDO.   ¿ Quién te alienta ?

ROSAURA.   Mi fama.

CLOTALDO. Mira que a Astolfo has de ver . . .

ROSAURA.   Todo mi honor lo atropella.

CLOTALDO.   Tu rey, y esposo de Estrella.

ROSAURA.   ¡ Vive Dios que no ha de ser !

CLOTALDO.   Es locura.

ROSAURA.   Ya lo veo.

CLOTALDO.   Pues véncela.

ROSAURA.   No podré.

CLOTALDO.   Pues perderás . . .

ROSAURA.   Ya lo sé.

CLOTALDO.   Vida y honor.

ROSAURA.   Bien lo creo.

CLOTALDO.   ¿ Qué intentas ?

ROSAURA.   Mi muerte.

CLOTALDO.   Mira
que eso es despecho.

ROSAURA.   Es honor.

CLOTALDO.   Es desatino.

ROSAURA.   Es valor.

CLOTALDO.   Es frenesí.

ROSAURA.   Es rabia, es ira.

CLOTALDO.   En fin, ¿ que no se da medio
a tu ciega pasión ?

ROSAURA.   No.

CLOTALDO.   ¿ Quién ha de ayudarte ?

ROSAURA.   Yo.

CLOTALDO.   ¿ No hay remedio ?

ROSAURA.   No hay remedio.

CLOTALDO.   Piensa bien si hay otros modos . . .

ROSAURA.   Perderme de otra manera. *(Vase.)*

CLOTALDO.   Pues si has de perderte, espera,
hija, y perdámonos todos. *(Vase.)*

ESCENA IX

Segismundo, *vestido de pieles; Soldados, marchando;*
Clarín.

(Tocan cajas.)

SEGISMUNDO.   Si este día me viera
Roma en los triunfos de su edad primera,
          ¡ oh, cuánto se alegrara
viendo lograr una ocasión tan rara
          de tener una fiera
que sus grandes ejércitos rigiera;
          a cuyo altivo aliento
fuera poca conquista el firmamento !
          Pero el vuelo abatamos,
espíritu; no así desvanezcamos
          aqueste aplauso incierto,
si ha de pesarme cuando esté dispierto,
          de haberlo conseguido
para haberlo perdido;
          pues mientras menos fuere,
menos se sentirá si se perdiere.

(Tocan un clarín.)

CLARIN.   En un veloz caballo
(perdóname, que fuerza es el pintallo
          en viniéndome a cuento),
en quien un mapa se dibuja atento,
          pues el cuerpo es la tierra,
el fuego el alma que en el pecho encierra,
          la espuma el mar, y el aire es el suspiro,
en cuya confusión un caos admiro;
          pues en el alma, espuma, cuerpo, aliento,
monstruo es de fuego, tierra, mar y viento,
          de color remendado,
rucio, y a su propósito rodado,
          del que bate la espuela;
que en vez de correr vuela;

a tu presencia llega
airosa una mujer.

SEGISMUNDO.   Su luz me ciega.

CLARIN.   ¡ Vive Dios, que es Rosaura ! *(Retírase.)*

SEGISMUNDO.   El cielo a mi presencia la restaura.

ESCENA X

ROSAURA, *con vaquero, espada y daga.*   SEGISMUNDO,
Soldados.

ROSAURA.   Generoso Segismundo,
cuya majestad heroica
sale al día de sus hechos
de la noche de sus sombras;
y como el mayor planeta,
que en los brazos de la aurora
se restituye luciente
a las plantas y a las rosas,
y sobre montes y mares,
cuando coronado asoma,
luz esparce, rayos brilla,
cumbres baña, espumas borda;
así amenazas al mundo,
luciente sol de Polonia,
que a una mujer infelice,
que hoy a tus plantas se arroja,
ampares por ser mujer
y desdichada: dos cosas,
que para obligarle a un hombre,
que de valiente blasona,
cualquiera de las dos basta,
cualquiera de las dos sobra.
Tres veces son las que ya
me admiras, tres las que ignoras
quién soy, pues las tres me viste
en diverso traje y forma.
La primera me creíste

varón en la rigurosa
prisión, donde fué tu vida
de mis desdichas lisonja.
La segunda me admiraste
mujer, cuando fué la pompa
de tu majestad un sueño,
un fantasma, una sombra.
La tercera es hoy, que siendo
monstruo de una especie y otra,
entre galas de mujer
armas de varón me adornan.
Y por que compadecido
mejor mi amparo dispongas,
es bien que de mis sucesos
trágicas fortunas oigas.
De noble madre nací
en la corte de Moscovia,
que, según fué desdichada,
debió de ser muy hermosa.
En ésta puso los ojos
un traidor, que no le nombra
mi voz por no conocerle,
de cuyo valor me informa
el mío; pues siendo objeto
de su idea, siento ahora
no haber nacido gentil,
para persuadirme loca
a que fué algún dios de aquellos
que en metamorfosis llora
lluvia de oro, cisne y toro
en Dánae, Leda y Europa.
Cuando pensé que alargaba,
citando aleves historias,
el discurso, hallo que en él
te he dicho en razones pocas
que mi madre, persuadida
a finezas amorosas,
fué, como ninguna, bella,

y fué infeliz como todas.
Aquella necia disculpa
de fe y palabra de esposa
la alcanzó tanto, que aún hoy
el pensamiento la llora;
habiendo sido un tirano
tan Eneas de su Troya,
que la dejó hasta la espada.
Enváinese aquí su hoja,
que yo la desnudaré
antes que acabe la historia.
Deste, pues, mal dado nudo
que ni ata ni aprisiona,
o matrimonio o delito,
si bien todo es una cosa,
nací yo tan parecida,
que fuí un retrato, una copia,
ya que en la hermosura no,
en la dicha y en las obras;
y así, no habré menester
decir que poco dichosa
heredera de fortunas,
corrí con ella una propia.
Lo más que podré decirte
de mí, es el dueño que roba
los trofeos de mi honor,
los despojos de mi honra.
Astolfo . . . ¡ Ay de mí ! al nombrarle
se encoleriza y se enoja
el corazón, propio efecto
de que enemigo le nombra. —
Astolfo fué el dueño ingrato
que olvidado de las glorias
(porque en un pasado amor
se olvida hasta la memoria),
vino a Polonia, llamado
de su conquista famosa,
a casarse con Estrella,

que fué de mi ocaso antorcha.
¿ Quién creerá, que habiendo sido
una estrella quien conforma
dos amantes, sea una Estrella
la que los divida ahora ?
yo ofendida, yo burlada,
quedé triste, quedé loca,
quedé muerta, quedé yo,
que es decir, que quedó toda
la confusión del infierno
cifrada en mi Babilonia;
y declarándome muda
(porque hay penas y congojas
que las dicen los afectos
mucho mejor que la boca),
dije mis penas callando,
hasta que una vez a solas,
Violante mi madre (¡ ay, cielos !)
rompió la prisión, y en tropa
del pecho salieron juntas,
tropezando unas con otras.
No me embaracé en decirlas;
que en sabiendo una persona
que, a quien sus flaquezas cuenta,
ha sido cómplice en otras,
parece que ya le hace
la salva y le desahoga;
que a veces el mal ejemplo
sirve de algo.   En fin, piadosa
oyó mis quejas, y quiso
consolarme con las propias:
juez que ha sido delincuente,
¡ qué fácilmente perdona !
Escarmentando en sí misma,
y por negar a la ociosa
libertad, al tiempo fácil,
el remedio de su honra,
no le tuvo en mis desdichas;

por mejor consejo toma
que le siga, y que le obligue,
con finezas prodigiosas,
a la deuda de mi honor;
y para que a menos costa
fuese, quiso mi fortuna
que en traje de hombre me ponga.
Descolgó una antigua espada
que es ésta que ciño: ahora
es tiempo que se desnude,
como prometí, la hoja
pues confiada en sus señas,
me dijo: «Parte a Polonia,
y procura que te vean
ese acero que te adorna,
los más nobles; que en alguno
podrá ser que hallen piadosa
acogida tus fortunas,
y consuelo tus congojas.»
Llegué a Polonia, en efecto:
pasemos, pues que no importa
el decirlo, y ya se sabe,
que un bruto que se desboca
me llevó a tu cueva, adonde
tú de mirarme te asombras.
Pasemos que allí Clotaldo
de mi parte se apasiona,
que pide mi vida al rey,
que el rey mi vida le otorga,
que informado de quién soy,
me persuade a que me ponga
mi propio traje, y que sirva
a Estrella, donde ingeniosa
estorbé el amor de Astolfo
y el ser Estrella su esposa.
Pasemos que aquí me viste
otra vez confuso, y otra
con el traje de mujer

confundiste entrambas formas;
y vamos a que Clotaldo,
persuadido a que le importa
que se casen y que reinen
Astolfo y Estrella hermosa,
contra mi honor me aconseja
que la pretensión deponga.
Yo, viendo que tú ¡ oh, valiente
Segismundo ! a quien hoy toca
la venganza, pues el cielo
quiere que la cárcel rompas
de esa rústica prisión,
donde ha sido tu persona
al sentimiento una fiera,
al sufrimiento uno roca,
las armas contra tu patria
y contra tu padre tomas.
Vengo a ayudarte, mezclando
entre las galas costosas
de Diana, los arneses
de Palas, vistiendo ahora
ya la tela y ya el acero,
que entrambos juntos me adornan.
Ea, pues, fuerte caudillo,
a los dos juntos importa
impedir y deshacer
estas concertadas bodas:
a mí, por que no se case
el que mi esposo se nombra,
y a ti, porque, estando juntos
sus dos estados, no pongan
con más poder y más fuerza
en duda nuestra victoria.
Mujer vengo a persuadirte
al remedio de mi honra,
y varón vengo a alentarte
a que cobres tu corona.
Mujer vengo a enternecerte

cuando a tus plantas me ponga
y varón vengo a servirte
con mi acero y mi persona.
Y así piensa, que si hoy
como mujer me enamoras
como varón te daré
la muerte en defensa honrosa
de mi honor, porque he de ser
en su conquista amorosa,
mujer para darte quejas,
varón para ganar honras.

SEGISMUNDO. Cielos, si es verdad que sueño, *(Ap.)*
suspendedme la memoria,
que no es posible que quepan
en un sueño tantas cosas.
¡ Válgame Dios, quién supiera,
o saber salir de todas,
o no pensar en ninguna !
¿ Quién vió penas tan dudosas ?
Si soñé aquella grandeza
en que me vi, ¿ cómo ahora
esta mujer me refiere
unas señas tan notorias ?
Luego fué verdad, no sueño;
y si fué verdad (que es otra
confusión, y no menor),
¿ cómo mi vida le nombra
sueño ? ¿ Pues tan parecidas
a los sueños son las glorias,
que las verdaderas son
tenidas por mentirosas,
y las fingidas por ciertas ?
¡ Tan poco hay de unas a otras,
que hay cuestión sobre saber
si lo que se ve y se goza,
es mentira o es verdad !
¿ Tan semejante es la copia
al original, que hay duda

en saber si es ella propia?
Pues si es así, y ha de verse
desvanecida entre sombras
la grandeza y el poder,
la majestad y la pompa,
sepamos aprovechar
este rato que nos toca,
pues sólo se goza en ella
lo que entre sueños se goza.
Rosaura está en mi poder;
su hermosura el alma adora;
gocemos, pues, la ocasión;
el amor las leyes rompa
del valor y la confianza
con que a mis plantas se postra.
Esto es sueño, y pues lo es,
soñemos dichas ahora,
que después serán pesares.
Mas ¡ con mis razones propias
vuelvo a convencerme a mí !
Si es sueño, si es vanagloria,
¿ quién, por vanagloria humana,
pierde una divina gloria ?
¿ Qué pasado bien no es sueño ?
¿ Quién tuvo dichas heroicas
que entre sí no diga, cuando
las revuelve en su memoria:
sin duda que fué soñado
cuanto vi ? Pues si esto toca
mi desengaño, si sé
que es el gusto llama hermosa,
que la convierte en cenizas
cualquiera viento que sopla,
acudamos a lo eterno,
que es la fama vividora
donde ni duermen las dichas,
ni las grandezas reposan.
Rosaura está sin honor;

más a un príncipe le toca
el dar honor, que quitarle.
¡ Vive Dios ! que de su honra
he de ser conquistador,
antes que de mi corona.
Huyamos de la ocasión,
que es muy fuerte. — Al arma ahora,

(A un soldado.)

que hoy he de dar la batalla,
antes que la obscura sombra
sepulte los rayos de oro
entre verdinegras ondas.

ROSAURA.   ¡ Señor ! ¿ pues así te ausentas ?
¿ Pues ni una palabra sola
no te debe mi cuidado,
ni merece mi congoja ?
¿ Cómo es posible, señor,
que ni me mires ni oigas ?
¿ Aun no me vuelves el rostro ?

SEGISMUNDO.   Rosaura, al honor le importa,
por ser piadoso contigo,
ser crüel contigo ahora.
No te responde mi voz,
porque mi honor te responda;
no te hablo, porque quiero
que te hablen por mí mis obras,
ni te miro, porque es fuerza,
en pena tan rigurosa,
que no mire tu hermosura
quien ha de mirar tu honra.

(Vase, y los soldados con él.)

ROSAURA.   ¿ Qué enigmas, cielos, son éstos ?
Después de tanto pesar,
¡ aún me queda que dudar
con equívocas respuestas !

ESCENA XI

CLARÍN, ROSAURA.

CLARIN.   ¿ Señora, es hora de verte ?

ROSAURA.   ¡ Ay, Clarín ! ¿ dónde has estado ?

CLARIN.   En una torre encerrado
brujuleando mi muerte,
        si me da, o si no me da;
y a figura que me diera,
pasante quínola fuera
mi vida: que estuve ya
        para dar un estallido.

ROSAURA.   ¿ Por qué ?

CLARIN.   Porque sé el secreto
de quién eres, y en efecto,
Clotaldo . . . ¿ Pero qué ruido
        es éste ?   (Suenan cajas.)

ROSAURA.   ¿ Qué pude ser ?

CLARIN.   Que del palacio sitiado
sale un escuadrón armado
a resistir o vencer
        el del fiero Segismundo.

ROSAURA.   ¿ Pues cómo cobarde estoy,
y ya a su lado no soy
un escándalo del mundo,
        cuando ya tanta crueldad
cierra sin orden ni ley ?

ESCENA XII

CLARÍN, Soldados, dentro.

TODOS (unos).   ¡ Viva nuestro invicto rey !

(otros.)   ¡ Viva nuestra libertad !

CLARIN.   ¡ La libertad y el rey vivan !
Vivan muy enhorabuena,
que a mí nada me da pena
como en cuenta me reciban

que yo, apartado este día
en tan grande confusión,
haga el papel de Nerón,
que de nada se dolía.

Si bien me quiero doler
de algo, y ha de ser de mí:
escondido, desde aquí
toda la fiesta he de ver.

El sitio es oculto y fuerte,
entre estas peñas. — Pues ya
la muerte no me hallará,
dos higas para la muerte.

(Escóndese; tocan cajas y suena ruido de armas.)

ESCENA XII

BASILIO, CLOTALDO y ASTOLFO, *huyendo.*   CLARÍN, *oculto.*

BASILIO.   ¡ Hay más infelice rey !
              ¡ Hay padre más perseguido !
CLOTALDO.   Ya tu ejército vencido
              baja sin tino ni ley.
ASTOLFO.   Los traidores vencedores
              quedan.
BASILIO.   En batallas tales
              los que vencen son leales,
              los vencidos son traidores.
              Huyamos, Clotaldo, pues,
              del cruel, del inhumano
              rigor de un hijo tirano.

(Disparan dentro y cae CLARÍN herido de donde está.)

BASILIO.   ¡ Válgame el cielo !
ASTOLFO.   ¿ Quién es
              este infelice soldado,
              que a nuestros pies ha caído
              en sangre todo teñido ?

CLARIN.

Soy un hombre desdichado,
  que por quererme guardar
de la muerte, la busqué.
Huyendo della, encontré
con ella, pues no hay lugar,
  para la muerte, secreto;
de donde claro se arguye
que quien más su efecto huye,
es quien se llega a su efecto.
  Por eso, tornad, tornad
a la lid sangrienta luego;
que entre las armas y el fuego
hay mayor seguridad
  que en el monte más guardado,
pues no hay seguro camino
a la fuerza del destino
y a la inclemencia del hado;
  y así, aunque a libraros vais
de la muerte con huir,
mirad que vais a morir
si está de Dios que muráis.   *(Cae dentro.)*

BASILIO.

  ¡ Mirad que vais a morir
si está de Dios que muráis !
  ¡ Qué bien (¡ ay cielos !) persuade
nuestro error, nuestra ignorancia
a mayor conocimiento
este cadáver que habla
por la boca de una herida,
siendo el humor que desata
sangrienta lengua que enseña
que son diligencias vanas
del hombre, cuando dispone
contra mayor fuerza y causa !
Pues yo, por librar de muertes
y sediciones mi patria,
vine a entregarla a los mismos
de quien pretendí librarla.

CLOTALDO.   Aunque el hado, señor, sabe
               todos los caminos, y halla
               a quien busca entre lo espeso
               de las peñas, no es cristiana
               determinación decir
               que no hay reparo a su saña.
               Sí hay, que el prudente varón
               victoria del hado alcanza;
               y si no estás reservado
               de la pena y la desgracia,
               haz por donde te reserves.

ASTOLFO.   Clotaldo, señor, te habla
               como prudente varón
               que madura edad alcanza,
               yo como joven valiente:
               entre las espesas matas
               de este monte está un caballo,
               veloz aborto del aura;
               huye en él, que yo, entretanto,
               te guardaré las espaldas.

BASILIO.   Si está de Dios que yo muera,
               o si la muerte me aguarda
               aquí, hoy la quiero buscar,
               esperando cara a cara.   (*Tocan al arma.*)

ESCENA XIV

SEGISMUNDO, ESTRELLA, ROSAURA, *Soldados,*
Acompañamiento; BASILIO, ASTOLFO, CLOTALDO.

SOLDADO.   En lo intrincado del monte,
               entre sus espesas ramas,
               el rey se esconde.

SEGISMUNDO.   ¡ Seguidle !
               No quede en sus cumbres planta
               que no examine el cuidado,
               tronco a tronco, y rama a rama.

CLOTALDO.   ¡ Huye, señor !

BASILIO.   ¿ Para qué ?
ASTOLFO.   ¿ Qué intentas ?
BASILIO.   Astolfo, aparta.
CLOTALDO.   ¿ Qué quieres ?
BASILIO.   Hacer, Clotaldo,
un remedio que me falta. —
Si a mí buscándome vas,   (A SEGISMUNDO.)
ya estoy, príncipe, a tus plantas:
                    (Arrodillándose.)
sea dellas blanca alfombra
esta nieve de mis canas.
Pisa mi cerviz y huella
mi corona; postra, arrastra
mi decoro y mi respeto;
toma de mi honor venganza,
sírvete de mí cautivo;
y tras prevenciones tantas,
cumpla el hado su homenaje,
cumpla el cielo su palabra.
SEGISMUNDO.   Corte ilustre de Polonia,
que de admiraciones tantas
sois testigos, atended,
que vuestro príncipe os habla.
Lo que está determinado
del cielo, y en azul tabla
Dios con el dedo escribió,
de quien son cifras y estampas
tantos papeles azules
que adornan letras doradas,
nunca engaña, nunca miente;
porque quien miente y engaña
es quien, para usar mal dellas,
las penetra y las alcanza.
Mi padre, que está presente,
por excusarse a la saña
de mi condición, me hizo
un bruto, una fiera humana;
de suerte, que cuando yo

por mi nobleza gallarda,
por mi sangre generosa,
por mi condición bizarra
hubiera nacido dócil
y humilde, sólo bastara
tal género de vivir,
tal linaje de crianza,
a hacer fieras mis costumbres:
¡ qué buen modo de estorbarlas !
Si a cualquier hombre dijesen:
« Alguna fiera inhumana
te dará muerte » ¿ escogiera
buen remedio en despertalla
cuando estuviera durmiendo ?
Si dijeran: « Esta espada
que traes ceñida ha de ser
quien te dé muerte »; vana
diligencia de evitarlo
fuera entonces desnudarla
y ponérsela a los pechos.
Si dijesen: « Golfos de agua
han de ser tu sepultura
en monumentos de plata »;
mal hiciera en darse al mar,
cuando soberbio levanta
rizados montes de nieve,
de cristal crespas montañas.
Lo mismo le ha sucedido
que a quien, porque le amenaza
una fiera, la despierta;
que a quien, temiento una espada,
la desnuda; y que a quien mueve
las ondas de una borrasca;
y cuando fuera (escuchadme)
dormida fiera mi saña,
templada espada mi furia,
mi rigor quieta bonanza,
la fortuna no se vence

con injusticia y venganza,
porque antes se incita más;
y así, quien vencer aguarda
a su fortuna, ha de ser
con cordura y con templanza.
No antes de venir el daño
se reserva ni se guarda
quien le previene; que aunque
puede humilde (cosa es clara)
reservarse dél, no es
sino después que se halla
en la ocasión, porque aquésta
no hay camino de estorbarla.
Sirva de ejemplo este raro
espectáculo, esta extraña
admiración, este horror,
este prodigio; pues nada
es más, que llegar a ver
con prevenciones tan varias,
rendido a mis pies un padre,
y atropellado a un monarca.
Sentencia del cielo fué;
por más que quiso estorbarla
él, no pudo; ¿ y podré yo,
que soy menor en las canas,
en el valor y en la ciencia,
vencerla ? — Señor, levanta.   *(Al rey.)*
Dame tu mano; que ya
que el cielo te desengaña
de que has errado en el modo
de vencerla, humilde aguarda
mi cuello a que tú te vengues:
rendido estoy a tus plantas.

BASILIO.   Hijo, que tan noble acción
otra vez en mis entrañas
te engendra, príncipe eres.
A ti el laurel y la palma

                      se te deben; tú venciste;
                      corónente tus hazañas.

TODOS.   ¡ Viva Segismundo, viva !
SEGISMUNDO.   Pues que ya vencer aguarda
                      mi valor grandes victorias,
                      hoy ha de ser la más alta
                      vencerme a mí. — Astolfo dé
                      la mano luego a Rosaura,
                      pues sabe que de su honor
                      es deuda, y yo he de cobrarla.

ASTOLFO.   Aunque es verdad que la debo
                      obligaciones, repara
                      que ella no sabe quién es;
                      y es bajeza y es infamia
                      casarme yo con mujer . . .

CLOTALDO.   No prosigas, tente aguarda;
                      porque Rosaura es tan noble
                      como tú, Astolfo, y mi espada
                      lo defenderá en el campo;
                      que es mi hija, y esto basta.

ASTOLFO.   ¿ Qué dices ?
CLOTALDO.   Que yo hasta verla
                      casada, noble y honrada,
                      no la quise descubrir.
                      La historia desto es muy larga;
                      pero, en fin, es hija mía.

ASTOLFO.   Pues siendo así, mi palabra
                      cumpliré.

SEGISMUNDO.   Pues por que Estrella
                      no quede desconsolada,
                      viendo que príncipe pierde
                      de tanto valor y fama,
                      de mi propia mano yo
                      con esposo he de casarla
                      que en méritos y fortuna,
                      si no le excede, le iguala.
                      Dame la mano.

ESTRELLA.   Yo gano
en merecer dicha tanta.

SEGISMUNDO.   A Clotaldo, que leal
sirvió a mi padre, le aguardan
mis brazos, con las mercedes
que él pidiere que le haga.

SOLDADO.   Si así a quien no te ha servido
honras, ¿ a mí que fui causa
del alboroto del reino,
y de la torre en que estabas
te saqué, ¿ qué me darás ?

SEGISMUNDO.   La torre; y por que no salgas
della nunca, hasta morir
has de estar allí con guardas,
que el traidor no es menester
siendo la traición pasada.

BASILIO.   Tu ingenio a todos admira.

ASTOLFO.   ¡ Qué condición tan mudada !

ROSAURA.   ¡ Qué discreto y qué prudente !

SEGISMUNDO.   ¿ Qué os admira ? ¿qué os espanta,
si fué mi maestro un sueño,
y estoy temiendo en mis ansias
que he de despertar y hallarme
otra vez en mi cerrada
prisión ?   Y cuando no sea,
el soñarlo sólo basta:
pues así llegué a saber
que toda la dicha humana
en fin pasa como un sueño,
y quiero hoy aprovecharla
el tiempo que me durare:
pidiendo de nuestras faltas
perdón, pues de pechos nobles
es tan propio el perdonarlas.

FIN DE « LA VIDA ES SUEÑO »

El Alcalde de Zalamea

El Alcalde de Zalamea

PERSONAS

EL REY FELIPE II.
DON LOPE DE FIGUEROA.
DON ÁLVARO DE ATAÍDE, capitán.
UN SARGENTO.
LA CHISPA.
REBOLLEDO, soldado.
PEDRO CRESPO, labrador, viejo.
JUAN, hijo de Pedro Crespo.
ISABEL, hija del mismo.
INÉS, prima de Isabel.
DON MENDO, hidalgo.
NUÑO, su criado.
UN ESCRIBANO.
Soldados. — Un tambor.
Labradores. — Acompañamiento.

La escena en en Zalamea y sus inmediaciones.

JORNADA PRIMERA

Campo cercano a Zalamea.

ESCENA PRIMERA

REBOLLEDO, CHISPA, SOLDADOS

REBOLLEDO. ¡ Cuerpo de Cristo con quien
Desta suerte hace marchar
De un lugar a otro lugar
Sin dar un refresco !

TODOS.   Amén.

REBOLLEDO. ¿ Somos gitanos aquí
Para andar desta manera ?
Una arrollada bandera
¿ Nos ha de llevar tras sí,
Con una caja . . .

SOLDADO 1.°   ¿ Ya empiezas ?

REBOLLEDO. Que este rato que calló,
Nos hizo merced de no
Rompernos estas cabezas ?

SOLDADO 2.° No muestres deso pesar,
Si ha de olvidarse, imagino,
El cansancio del camino
A la entrada del lugar.

REBOLLEDO. ¿ A qué entrada, si voy muerto ?
Y aunque llegue vivo allá,
Sabe mi Dios si será
Para alojar; pues es cierto
Llegar luego al comisario
Los alcaldes a decir

Que si es que se pueden ir,
Que darán lo necesario.
Responderles, lo primero,
Que es imposible, que viene
La gente muerta; y si tiene
El concejo algún dinero,
Decir: «Señores soldados,
Orden hay que no paremos:
Luego al instante marchemos.»
Y nosotros, muy menguados,
A obedecer al instante
Orden, que es, en caso tal,
Para él orden monacal,
Y para mí mendicante.
Pues ¡ voto a Dios ! que si llego
Esta tarde a Zalamea,
Y pasar de allí desea
Por diligencia o por ruego,
Que ha de ser sin mí la ida;
Pues no, con desembarazo,
Será el primer tornillazo
Que habré yo dado en mi vida.

SOLDADO 1.º Tampoco será el primero
Que haya la vida costado
A un miserable soldado;
Y más hoy, si considero
Que es el cabo desta gente
Don Lope de Figueroa,
Que si tiene tanta loa
De animoso y de valiente,
La tiene también de ser
El hombre más desalmado,
Jurador y renegado
Del mundo, y que sabe hacer
Justicia del más amigo,
Sin fulminar el proceso.

REBOLLEDO. ¿ Ven vustedes todo eso ?
Pues yo haré lo que yo digo.

SOLDADO 2.º   ¿ De eso un soldado blasona ?

REBOLLEDO.   Por mí muy poco me inquieta;
Sino por esa pobreta,
Que viene tras la persona.

CHISPA.   Seor Rebolledo, por mí
Vuecé no se aflija, no;
Que, como ya sabe, yo,
Barbada el alma, nací;
Y este temor me deshonra;
Pues no vengo yo a servir
Menos que para sufrir
Trabajos con mucha honra.
Que para estarme, en rigor,
Regalada, no dejara
En mi vida, cosa es clara,
La casa del regidor,
Donde todo sobra, pues
Al mes mil regalos vienen;
Que hay regidores que tienen
Mesa franca con el mes.
Y pues a venir aquí,
A marchar y padecer
Con Rebolledo, sin ser
Postema, me resolví;
Por mí ¿ en qué duda o repara ?

REBOLLEDO.   ¡ Viven los cielos que eres
Corona de las mujeres !

SOLDADO 2º.   Aquésa es verdad bien clara.
¡ Viva la Chispa !

REBOLLEDO.   ¡ Reviva !
Y más si por divertir
Esta fatiga de ir
Cuesta abajo y cuesta arriba,
Con su voz el aire inquieta
Una jácara o canción.

CHISPA.   Responda a esa petición
Citada la castañeta.

REBOLLEDO.   Y yo ayudaré también.

	Sentencien los camaradas,
	Todas las partes citadas.
SOLDADO 1.°	¡ Vive Dios, que han dicho bien !

(Cantan Rebolledo y la Chispa.)

CHISPA.	*Yo soy titiri, titiri, tina,*
	Flor de la jacarandina.
REBOLLEDO.	*Yo soy titiri, titiri, taina,*
	Flor de la jacarandaina.
CHISPA.	*Vaya a la guerra el alférez,*
	Y embárquese el capitán.
REBOLLEDO.	*Mate moros quien quisiere,*
	Que a mí no me han hecho mal.
CHISPA.	*Vaya y venga la tabla al horno,*
	Y a mí no me falte pan.
REBOLLEDO.	*Huéspeda, máteme una gallina;*
	Que el carnero me hace mal.
SOLDADO 1°.	Aguarda; que ya me pesa
	(Que íbamos entretenidos
	En nuestros mismos oídos)
	Caballeros, de ver esa
	Torre, pues es necesario
	Que donde paremos sea.
REBOLLEDO.	¿ Es aquella Zalamea ?
CHISPA.	Dígalo su campanario.
	No sienta tanto vussé,
	Que cese el cántico ya:
	Mil ocasiones habrá
	En que lograrle, porque
	Esto me divierte tanto,
	Que como de otras no ignoran
	Que a cada cosica lloran,
	Yo a cada cosica canto,
	Y oirá ucé jácaras ciento.
REBOLLEDO.	Hagamos aquí alto, pues
	Justo, hasta que venga, es,
	Con la orden el Sargento,
	Por si hemos de entrar marchando

O en tropas.

SOLDADO 1.°   Él solo es quien
Llega agora; mas también
El Capitán esperando
Está.

ESCENA II

El Capitán, el Sargento. — Dichos

CAPITAN.   Señores soldados,
Albricias puedo pedir:
De aquí no hemos de salir,
Y hemos de estar alojados
Hasta que Don Lope venga
Con la gente que quedó
En Llerena; que hoy llegó
Orden de que se prevenga
Toda, y no salga de aquí
A Guadalupe hasta que
Junto todo el tercio esté,
Y él vendrá luego; y así,
Del cansancio bien podrán
Descansar algunos días.

REBOLLEDO.   Albricias pedir podías.

TODOS.   ¡ Vítor nuestro Capitán !

CAPITAN.   Ya está hecho el alojamiento:
El comisario irá dando
Boletas, como llegando
Fueren.

CHISPA.   Hoy saber intento
Por qué dijo, voto a tal,
Aquella jacarandina:
«Huéspeda, máteme una gallina;
Que el carnero me hace mal.»   *(Vanse.)*

Calle.

ESCENA III

El Capitán, el Sargento

CAPITAN. Señor Sargento, ¿ ha guardado
Las boletas para mí,
Que me tocan ?

SARGENTO. Señor, sí.

CAPITAN. ¿ Y dónde estoy alojado ?

SARGENTO. En la casa de un villano,
Que el hombre más rico es
Del lugar, de quien después
He oído que es el más vano
Hombre del mundo, y que tiene
Más pompa y más presunción
Que un infante de León.

CAPITAN. Bien a un villano conviene
Rico aquesa vanidad.

SARGENTO. Dicen que ésta es la mejor
Casa del lugar, señor;
Y si va a decir verdad,
Yo la escogí para ti,
No tanto porque lo sea,
Como porque en Zalamea
No hay tan bella mujer . . .

CAPITAN. Di.

SARGENTO. Como una hija suya.

CAPITAN. Pues
Por muy hermosa y muy vana,
¿ Será más que una villana
Con malas manos y pies?

SARGENTO. ¿ Que haya en el mundo quien diga
Eso?

CAPITAN. ¿ Pues no, mentecato ?

SARGENTO. ¿ Hay más bien gastado rato
(A quien amor no le obliga,

Sino ociosidad no más)
Que el de una villana, y ver
Que no acierta a responder
A propósito jamás?

CAPITAN. Cosa es que toda mi vida,
Ni aun de paso me agradó;
Porque en no mirando yo
Aseada y bien prendida
Una mujer, me parece
Que no es mujer para mí.

SARGENTO. Pues para mí, señor, sí,
Cualquiera que se me ofrece.
Vamos allá; que por Dios,
Que me pienso entretener
Con ella.

CAPITAN. ¿Quieres saber
Cuál dice bien de los dos?
El que una belleza adora,
Dijo, viendo a la que amó:
«Aquélla es mi dama» y no:
«Aquélla es mi labradora.»
Luego si dama se llama
La que se ama, claro es ya
Que en una villana está
Vendido el nombre de dama.
Mas ¿qué ruido es ése?

SARGENTO. Un hombre,
Que de un flaco rocinante
A la vuelta de esa esquina
Se apeó, y en rostro y talle
Parece a aquel Don Quijote,
De quien Miguel de Cervantes
Escribió las aventuras.

CAPITAN. ¡Qué figura tan notable!

SARGENTO. Vamos, señor; que ya es hora.

CAPITAN. Lléveme el sargento antes
A la posada la ropa,
Y vuelve luego a avisarme. (*Vanse.*)

ESCENA IV

DON MENDO, NUÑO

DON MENDO.	¿ Cómo va el rucio ?
NUÑO.	Rodado,
	Pues no puede menearse.
DON MENDO.	¿ Dijiste al lacayo, dí,
	Que un rato le pasease ?
NUÑO.	¡ Qué lindo pienso !
DON MENDO.	No hay cosa
	Que tanto a un bruto descanse.
NUÑO.	Aténgome a la cebada.
DON MENDO.	¿ Y que a los galgos no aten,
	Dijiste ?
NUÑO.	Ellos se holgarán;
	Mas no el carnicero.
DON MENDO.	Baste;
	Y pues han dado las tres,
	Cálzome palillo y guantes.
NUÑO.	¿ Si te prenden el palillo
	Por palillo falso ?
DON MENDO.	Si alguien,
	Que no he comido un faisán,
	Dentro de sí imaginare,
	Que allá dentro de sí miente,
	Aquí y en cualquiera parte
	Le sustentaré.
NUÑO.	¿ Mejor
	No sería sustentarme
	A mí, que al otro ? que en fin
	Te sirvo.
DON MENDO.	¡ Qué necedades !
	— En efeto ¿ que han entrado
	Soldados aquesta tarde
	En el pueblo ?
NUÑO.	Sí, señor.
DON MENDO.	Lástima da el villanaje
	Con los huéspedes que espera.

NUÑO.   Más lástima da y más grande
               Con los que no espera . . .
DON MENDO.   ¿ Quién ?
NUÑO.   La hidalguez; y no te espante;
               Que si no alojan, señor,
               En cas de hidalgos a nadie,
               ¿ Por qué piensas que es ?
DON MENDO.   ¿ Por qué ?
NUÑO.   Porque no se mueran de hambre.
DON MENDO.   En buen descanso esté el alma
               De mi buen señor y padre,
               Pues en fin me dejó una
               Ejecutoria tan grande,
               Pintada de oro y azul,
               Exención de mi linaje.
NUÑO.   Tomáramos que dejara
               Un poco del oro aparte.
DON MENDO.   Aunque si reparo en ello,
               Y si va a decir verdades,
               No tengo que agradecerle
               De que hidalgo me engendrase,
               Porque yo no me dejara
               Engendrar, aunque él porfiase,
               Si no fuera de un hidalgo,
               En el vientre de mi madre.
NUÑO.   Fuera de saber difícil.
DON MENDO.   No fuera, sino muy fácil.
NUÑO.   ¿ Cómo señor ?
DON MENDO.   Tú, en efeto,
               Filosofía no sabes,
               Y así ignoras los principios.
NUÑO.   Sí, mi señor, y los antes
               Y postres, desde que como
               Contigo; y es, que al instante,
               Mesa divina es tu mesa,
               Sin medios, postres ni antes.
DON MENDO.   Yo no digo esos principios.
               Has de saber que el que nace,

Sustancia es del alimento
Que antes comieron sus padres.

NUÑO. ¿Luego tus padres comieron?
Esa maña no heredaste.

DON MENDO. Esto después se convierte
En su propia carne y sangre.
Luego si hubiera comido
El mío cebolla, al instante
Me hubiera dado el olor,
Y hubiera dicho yo: «Tate,
Que no me está bien hacerme
De excremento semejante.»

NUÑO. Ahora digo que es verdad . . .

DON MENDO. ¿Qué?

NUÑO. Que adelgaza la hambre
Los ingenios.

DON MENDO. Majadero,
¿Téngola yo?

NUÑO. No te enfades;
Que si no la tienes, puedes
Tenerla, pues de la tarde
Son ya las tres, y no hay greda
Que mejor las manchas saque,
Que tu saliva y la mía.

DON MENDO. Pues ésa ¿es causa bastante
Para tener hambre yo?
Tengan hambre los gañanes;
Que no somos todos unos;
Que a un hidalgo no le hace
Falta el comer.

NUÑO. ¡Oh, quién fuera
Hidalgo!

DON MENDO. Y más no me hables
Desto, pues ya de Isabel
Vamos entrando en la calle.

NUÑO. ¿Por qué, si de Isabel eres
Tan firme y rendido amante,
A su padre no la pides?

Pues con esto tú y su padre
Remediaréis de una vez
Entrambas necesidades:
Tú comerás, y él hará
Hidalgos sus nietos.

DON MENDO.   No hables
Más, Nuño, calla.   ¿ Dineros
Tanto habían de postrarme,
Que a un hombre llano por suegro
Había de admitir ?

NUÑO.   Pues antes
Pensé que ser hombre llano,
Para suegro, era importante;
Pues de otros dicen, que son
Tropezones, en que caen
Los yernos.   Y si no has
De casarte, ¿ por qué haces
Tantos extremos de amor ?

DON MENDO. ¿ Pues no hay sin que yo me case,
Huelgas en Burgos, adonde
Llevarla, cuando me enfade ?
Mira si acaso la ves.

NUÑO. Temo, si acierta a mirarme
Pedro Crespo . . .

DON MENDO.   ¿ Qué ha de hacerte,
Siendo mi criado, nadie?
Haz lo que manda tu amo.

NUÑO. Sí haré, aunque no he de sentarme
Con él a la mesa.

DON MENDO.   Es propio
De los que sirven, refranes.

NUÑO. Albricias, que con su prima
Inés a la reja sale.

DON MENDO. Dí que por el bello oriente,
Coronado de diamantes,
Hoy, repitiéndose el sol,
Amanece por la tarde.

ESCENA V

ISABEL e INÉS, *a una ventana.* — DICHOS

INES.　　　　Asómate a esa ventana,
　　　　　　Prima, así el cielo te guarde:
　　　　　　Verás los soldados que entran
　　　　　　En el lugar.

ISABEL.　　　　　　　　No me mandes
　　　　　　Que a la ventana me ponga,
　　　　　　Estando este hombre en la calle,
　　　　　　Inés, pues ya cuánto el verle
　　　　　　En ella me ofende sabes.

INES.　　　　En notable tema ha dado
　　　　　　De servirte y festejarte.

ISABEL.　　　No soy más dichosa yo.

INES.　　　　A mi parecer, mal haces
　　　　　　De hacer sentimiento desto.

ISABEL.　　　¿ Pues qué había de hacer ?

INES.　　　　　　　　　　　Donaire.

ISABEL.　　　¿ Donaire de los disgustos ?

DON MENDO.　*(Llegando a la ventana.)*
　　　　　　Hasta aqueste mismo instante,
　　　　　　Jurara yo a fe de hidalgo
　　　　　　(Que es juramento inviolable)
　　　　　　Que no había amanecido;
　　　　　　Mas, ¿qué mucho que lo extrañe,
　　　　　　Hasta que a vuestras auroras
　　　　　　Segundo día les sale ?

ISABEL.　　　Ya os he dicho muchas veces,
　　　　　　Señor Mendo, cuán en balde
　　　　　　Gastáis finezas de amor,
　　　　　　Locos extremos de amante
　　　　　　Haciendo todos los días
　　　　　　En mi casa y en mi calle.

DON MENDO.　Si las mujeres hermosas
　　　　　　Supieran cuánto las hacen
　　　　　　Más hermosas el enojo,
　　　　　　El rigor, desdén y ultraje,

En su vida gastarían
Más afeite que enojarse.
Hermosa estáis, por mi vida,
Decid, decid más pesares.

ISABEL.

Cuando no baste el decirlos,
Don Mendo, el hacerlos baste
De aquesta manera. — Inés,
Éntrate acá dentro, y dale
Con la ventana en los ojos.   (*Vase.*)

INES.

Señor caballero andante,
Que de aventurero entráis
Siempre en lides semejantes,
Porque de mantenedor
No era para vos tan fácil,
Amor os provea.   (*Vase.*)

DON MENDO.

Inés,
Las hermosuras se salen
Con cuanto ellas quieren. — Nuño.

NUÑO.

¡ Oh qué desairados nacen
Todos los pobres !

ESCENA VI

PEDRO CRESPO; *después,* JUAN CRESPO. — DICHOS

PEDRO CRESPO. (*Ap.*)   ¡ Que nunca
Entre y salga yo en mi calle,
Que no vea a este hidalgote
Pasearse en ella muy grave !

NUÑO. (*Ap. a su amo.*)

Pedro Crespo viene aquí.
Vamos por estotra parte;
Que es villano malicioso.
    (*Sale Juan Crespo.*)

JUAN (*Ap.*)   ¡ Que siempre que venga, halle
Este fantasma a mi puerta,
Calzado de frente y guantes !

NUÑO. *(Ap. a su amo.)*
  Pero acá viene su hijo.
DON MENDO. No te turbes ni embaraces.
CRESPO. *(Ap.)* Mas Juanico viene aquí.
JUAN *(Ap.)* Pero aquí viene mi padre.
DON MENDO. *(Ap. a Nuño. Disimula.)* Pedro Crespo,
  Dios os guarde.
CRESPO. *(Ap.)*   Dios os guarde.

  (Vanse Don Mendo y Nuño.)

ESCENA VII

PEDRO y JUAN CRESPO

CRESPO. *(Ap.)* El ha dado en porfiar,
  Y alguna vez he de darle
  De manera que le duela.
JUAN.   *(Ap.)* (Algún día he de enojarme.)
  ¿ De adónde bueno, señor ?
CRESPO. De las eras; que esta tarde
  Salí a mirar la labranza,
  Y están las parvas notables
  De manojos y montones,
  Que parecen al mirarse
  Desde lejos montes de oro,
  Y aun oro de más quilates,
  Pues de los granos de aquéste
  Es todo el cielo el contraste.
  Allí el bielgo, hiriendo a soplos
  El viento en ellos süave,
  Deja en esta parte el grano,
  Y la paja en la otra parte;
  Que aun allí lo más humilde
  Da el lugar a lo más grave.
  ¡ Oh, quiera Dios que en las trojes
  Yo llegue a encerrarlo, antes
  Que algún turbión me lo lleve,

	O algún viento me las tale !
	Tú, ¿ qué has hecho ?
JUAN.	No sé cómo
	Decirlo sin enojarte.
	A la pelota he jugado
	Dos partidos esta tarde,
	Y entrambos los he perdido.
CRESPO.	Haces bien, si los pagaste.
JUAN.	No los pagué; que no tuve
	Dineros para ello: antes
	Vengo a pedirte, señor . . .
CRESPO.	Pues escucha antes de hablarme.
	Dos cosas no has de hacer nunca:
	No ofrecer lo que no sabes
	Que has de cumplir, ni jugar
	Más de lo que está delante;
	Porque si por accidente
	Falta, tu opinión no falte.
JUAN.	El consejo es como tuyo;
	Y por tal debo estimarle,
	Y he de pagarte con otro.
	En tu vida no has de darle
	Consejo al que ha menester
	Dinero.
CRESPO.	Bien te vengaste. (*Vase.*)

Patio o portal de la casa de Pedro Crespo.

ESCENA VIII

Crespo, Juan, el Sargento

SARGENTO.	¿ Vive Pedro Crespo aquí ?
CRESPO.	¿ Hay algo que usté le mande ?
SARGENTO.	Traer a su casa la ropa
	De Don Álvaro de Ataíde,
	Que es el capitán de aquesta

Compañía, que esta tarde
Se ha alojado en Zalamea.

CRESPO.   No digáis más: eso baste;
Que para servir a Dios,
Y al Rey en sus capitanes,
Están mi casa y mi hacienda.
Y en tanto que se le hace
El aposento, dejad
La ropa en aquella parte,
Y id a decirle que venga
Cuando su merced mandare
A que se sirva de todo.

SARGENTO. Él vendrá luego al instante.   (Vase.)

ESCENA IX

CRESPO, JUAN

JUAN.   ¿ Qué quieras, siendo tú rico,
Vivir a estos hospedajes
Sujeto ?

CRESPO.   Pues ¿ cómo puedo
Excusarlos ni excusarme ?

JUAN.   Comprando una ejecutoria.

CRESPO.   Dime por tu vida, ¿ hay alguien
Que no sepa que yo soy,
Si bien de limpio linaje,
Hombre llano? No por cierto:
Pues ¿qué gano yo en comprarle
Una ejecutoria al Rey,
Si no le compro la sangre ?
¿ Dirán entonces que soy
Mejor que ahora ? No, es dislate.
Pues ¿qué dirán ? Que soy noble
Por cinco o seis mil reales.
Y esto es dinero, y no es honra;
Que honra no la compra nadie,
¿ Quieres, aunque sea trivial,

Un ejemplillo escucharme ?
Es calvo un hombre mil años,
Y al cabo dellos se hace
Una cabellera. Éste,
En opiniones vulgares,
¿ Deja de ser calvo ? No,
Pues ¿ qué dicen al mirarle ?
« ¡ Bien puesta la cabellera
Trae Fulano ! » Pues ¿ qué hace,
Si aunque no le vean la calva,
Todos que la tiene saben ?

JUAN.   Enmendar su vejación,
Remediarse de su parte,
Y redimir las molestias
Del sol, del hielo y del aire.

CRESPO.   Yo no quiero honor postizo,
Que el defeto ha dejarme
En casa. Villanos fueron
Mis abuelos y mis padres;
Sean villanos mis hijos.
Llama a tu hermana.

JUAN.   Ella sale.

ESCENA X

ISABEL, INÉS. — CRESPO, JUAN

CRESPO.   Hija, el Rey nuestro señor,
Que el cielo mil años guarde,
Va a Lisboa, porque en ella
Solicita coronarse
Como legítimo dueño:
A cuyo efeto marciales
Tropas caminan con tantos
Aparatos militares
Hasta bajar a Castilla
El tercio viejo de Flandes
Con un Don Lope, que dicen

Todos que es español Marte.
Hoy han de venir a casa
Soldados, y es importante
Que no te vean; así, hija,
Al punto has de retirarte
En esos desvanes, donde
Yo vivía.

ISABEL.   A suplicarte
Me dieses esa licencia
Venía yo; sé que el estarme
Aquí, es estar solamente
A escuchar mil necedades.
Mi prima y yo en ese cuarto
Estaremos, sin que nadie,
Ni aun el sol mismo, no sepa
De nosotras.

CRESPO.   Dios os guarde.
Juanico, quédate aquí,
Recibe a huéspedes tales,
Mientras busco en el lugar
Algo con que regalarles.   (Vase.)

ISABEL.   Vamos, Inés.

INES.   Vamos, prima;
Mas tengo por disparate
El guardar a una mujer,
Si ella no quiere guardarse.

        (Vanse Isabel e Inés.)

ESCENA XI

EL CAPITÁN, EL SARGENTO. — JUAN

SARGENTO.   Ésta es, señor, la casa.

CAPITAN.   Pues del cuerpo de guardia al punto pasa
Toda mi ropa.

SARGENTO (Ap. al capitán.)   Quiero
Registrar la villana lo primero.   (Vase.)

JUAN.   Vos seáis bien venido
                A aquesta casa; que ventura ha sido
                Grande venir a ella un caballero
                Tan noble como en vos le considero.
                (*Ap.* ¡ Qué galán y alentado !
                Envidia tengo al traje de soldado.)

CAPITAN.   Vos seáis bien hallado.

JUAN.   Perdonaréis no estar acomodado;
                Que mi padre quisiera
                Que hoy un alcázar esta casa fuera.
                Él ha ido a buscaros
                Que comáis; que desea regalaros,
                Y yo voy a que esté vuestro aposento
                Aderezado.

CAPITAN.   Agradecer intento
                La merced y el cuidado.

JUAN.   Estaré siempre a vuestros pies postrado.

                        (*Vase.*)

                        ESCENA XII

                El Sargento. — El Capitán

CAPITAN.   ¿ Qué hay, Sargento ?   ¿ Has ya visto
                A la tal labradora ?

SARGENTO.   Vive Cristo,
                Que con aquese intento
                No he dejado cocina ni aposento,
                Y que no la he topado.

CAPITAN.   Sin duda el villanchón la ha retirado.

SARGENTO.   Pregunté a una criada
                Por ella, y respondióme que ocupada
                Su padre la tenía
                En ese cuarto alto, y que no había
                De bajar nunca acá; que es muy celoso.

CAPITAN.   ¿ Qué villano no ha sido malicioso ?
                De mí digo, que si hoy aquí la viera,

Della caso no hiciera;
Y sólo porque el viejo la ha guardado,
Deseo, vive Dios, de entrar me ha dado
Donde está.

SARGENTO.   Pues ¿ qué haremos
Para que allá, señor, con causa entremos,
Sin dar sospecha alguna ?

CAPITAN.   Sólo por tema la he de ver, y una
Industria he de buscar.

SARGENTO.   Aunque no sea
De mucho ingenio, para quien la vea
Hoy, no importará nada;
Que con eso será más celebrada.

CAPITAN.   Óyela, pues, agora.

SARGENTO.   Di, ¿ qué ha sido?

CAPITAN.   Tú has de fingir . . . — Mas no; pues que
ha venido

(Viendo venir a Rebolledo.)

Este soldado, que es más despejado,
Él fingirá mejor lo que he trazado.

ESCENA XIII

REBOLLEDO, LA CHISPA. — DICHOS

REBOLLEDO. *(A la Chispa.)*
Con este intento vengo
A hablar al Capitán, por ver si tengo
Dicha en algo.

CHISPA.   Pues háblale de modo
Que le obligues; que en fin no ha de ser todo
Desatino y locura.

REBOLLEDO.   Préstame un poco tú de tu cordura.

CHISPA.   Poco y mucho pudiera.

REBOLLEDO.   Mientras hablo con él, aquí me espera.

(Adelántase.)

— Yo vengo a suplicarte . . .

CAPITAN.   En cuanto puedo
Ayudaré, por Dios, a Rebolledo,
Porque me ha aficionado
Su despejo y su brío.

SARGENTO.   Es gran soldado.

CAPITAN.   Pues ¿ qué hay que se le ofrezca ?

REBOLLEDO.   Yo he perdido
Cuanto dinero tengo y he tenido
Y he de tener, porque de pobre juro
En presente, en pretérito y futuro.
Hágaseme merced de que, por vía
De ayudilla de costa, aqueste día
El alférez me dé . . .

CAPITAN.   Diga: ¿ qué intenta ?

REBOLLEDO.   El juego del boliche por mi cuenta;
Que soy hombre cargado
De obligaciones, y hombre al fin honrado.

CAPITAN.   Digo que eso es muy justo,
Y el alférez sabrá que éste es mi gusto.

CHISPA. (Ap.)   Bien le habla el Capitán. ¡ Oh si me viera
Llamar de todos ya la Bolichera !

REBOLLEDO.   Daréle ese recado.

CAPITAN.   Oye, primero
Que le lleves.   De ti fiarme quiero
Para cierta invención que he imaginado,
Con que salir intento de un cuidado.

REBOLLEDO.   Pues ¿ qué es lo que se aguarda ?
Lo que tarda en saberse, es lo que tarda
En hacerse.

CAPITAN.   Escúchame.   Yo intento
Subir a ese aposento
Por ver si en él una persona habita,
Que de mí hoy esconderse solicita.

REBOLLEDO.   Pues ¿ por qué no le subes ?

CAPITAN.   No quisiera
Sin que alguna color para esto hubiera,
Por disculparlo más; y así, fingiendo
Que yo riño contigo, has de irte huyendo

    Por ahí arriba.   Entonces yo enojado,
    La espada sacaré: tú, muy turbado,
    Has de entrarte hasta donde
    Esta persona que busco se esconde.

REBOLLEDO.   Bien informado quedo.

CHISPA. *(Ap.)*   Pues habla el Capitán con Rebolledo
    Hoy de aquella manera,
    Desde hoy me llamarán la Bolichera.

REBOLLEDO. *(Alzando la voz.)*

    ¡ Voto a Dios, que han tenido
    Esta ayuda de costa que he pedido,
    Un ladrón, un gallina y un cuitado !
    Y agora que la pide un hombre honrado,
    ¡ No se la dan !

CHISPA. *(Ap.)*   Ya empieza su tronera.

CAPITAN.   Pues ¿ cómo me habla a mí de esa manera?

REBOLLEDO.   ¿ No tengo de enojarme,
    Cuando tengo razón ?

CAPITAN.   No, ni ha de hablarme;
    Y agradezca que sufro aqueste exceso.

REBOLLEDO.   Ucé es mi capitán: sólo por eso
    Callaré; mas por Dios, que si tuviera
    La bengala en mi mano . . .

CAPITAN. *(Echando mano a la espada.)*   ¿ Qué me hiciera ?

CHISPA.   Tente, señor. *(Ap.* Su muerte considero.)

REBOLLEDO.   Que me hablara mejor.

CAPITAN.   ¿ Qué es lo que espero,
    Que no doy muerte a un pícaro atrevido ?
           (Desenvaina.)

REBOLLEDO.   Huyo, por el respeto que he tenido
    A esa insignia.

CAPITAN.   Aunque huyas,
    Te he de matar.

CHISPA.   Ya él hizo de las suyas.

SARGENTO.   Tente, señor.

CHISPA.   Escucha.

SARGENTO. Aguarda, espera.

CHISPA. Ya no me llamarán la Bolichera.

*(Vase el Capitán huyendo tras Rebolledo;
el Sargento tras el Capitán: sale Juan
con espada y después su padre.)*

ESCENA XIV

JUAN, CRESPO. — LA CHISPA

CHISPA. Acudid todos presto.

CRESPO. ¿ Qué ha sucedido aquí ?

JUAN. ¿ Qué ha sido aquesto ?

CHISPA. Que la espada ha sacado
El Capitán aquí para un soldado,
Y, esa escalera arriba,
Sube tras él.

CRESPO. ¿ Hay suerte más esquiva ?

CHISPA. Subid todos tras él.

JUAN. *(Ap.)* Acción fué vana
Esconder a mi prima y a mi hermana.

(Vanse.)

Cuarto alto en la misma casa.

ESCENA XV

REBOLLEDO, *que huye y se encuentra con* ISABEL *e*
INÉS; *después,* EL CAPITÁN *y* EL SARGENTO

REBOLLEDO. Señoras, si siempre ha sido
Sagrado el que es templo, hoy
Sea mi sagrado aqueste,
Pues es templo del amor.

ISABEL.	¿ Quién a huir de esa manera Os obliga ?
INES.	¿ Qué ocasión Tenéis de entrar hasta aquí ?
ISABEL.	¿ Quién os sigue o busca ?

(Salen el Capitán y el Sargento.)

CAPITAN.	Yo, Que tengo de dar la muerte Al pícaro ¡ vive Dios ! Si pensase . . .
ISABEL.	Deteneos, Siquiera, porque, señor, Vino a valerse de mí; Que los hombres como vos Han de amparar las mujeres, Si no por lo que ellas son, Porque son mujeres; que esto Basta, siendo vos quien sois.
CAPITAN.	No pudiera otro sagrado Librarle de mi furor, Sino vuestra gran belleza: Por ella vida le doy. Pero mirad que no es bien En tan precisa ocasión Hacer vos el homicidio Que no queréis que haga yo.
ISABEL.	Caballero, si cortés Ponéis en obligación Nuestras vidas, no zozobre Tan presto la intercesión: Que dejéis este soldado Os suplico; pero no Que cobréis de mí la deuda A que agradecida estoy.
CAPITAN.	No sólo vuestra hermosura Es de rara perfección; Pero vuestro entendimiento

Lo es también, porque hoy en vos
Alïanza están jurando
Hermosura y discreción.

ESCENA XVI

Crespo y Juan, *con espadas desnudas;*
la Chispa. — Dichos

CRESPO.   ¿ Cómo es ello, caballero ?
¿ Cuándo pensó mi temor
Hallaros matando un hombre,
Os hallo . . .

ISABEL.   (*Ap.*) ¡ Válgame Dios !

CRESPO.   Requebrando una mujer ?
Muy noble, sin duda, sois,
Pues que tan presto se os pasan
Los enojos.

CAPITAN.   Quien nació
Con obligaciones, debe
Acudir a ellas, y yo
Al respeto desta dama
Suspendí todo el furor.

CRESPO.   Isabel es hija mía,
Y es labradora, señor,
Que no dama.

JUAN.   (*Ap.* ¡ Vive el cielo,
Que todo ha sido invención
Para haber entrado aquí !
Corrido en el alma estoy
De que piensen que me engañan,
Y no ha de ser.) Bien, señor
Capitán, pudierais ver
Con más segura atención
Lo que mi padre desea
Hoy serviros, para no
Haberle hecho este disgusto.

CRESPO.	¿ Quién os mete en eso a vos,
	Rapaz ? ¿ Qué disgusto ha habido ?
	Si el soldado le enojó,
	¿ No había de ir tras él ? Mi hija
	Estima mucho el favor
	Del haberle perdonado,
	Y el de su respeto yo.
CAPITAN.	Claro está que no habrá sido
	Otra causa, y ved mejor
	Lo que decís.
JUAN.	Yo lo veo
	Muy bien.
CRESPO.	Pues ¿ cómo habláis vos
	Así ?
CAPITAN.	Porque estáis delante,
	Más castigo no le doy
	A este rapaz.
CRESPO.	Detened,
	Señor Capitán; que yo
	Puedo tratar a mi hijo
	Como quisiere, y vos no.
JUAN.	Y yo sufrirlo a mi padre,
	Mas a otra persona no.
CAPITAN.	¿ Qué habíais de hacer ?
JUAN.	Perder
	La vida por la opinión.
CAPITAN.	¿ Qué opinión tiene un villano ?
JUAN.	Aquella misma que vos;
	Que no hubiera un capitán,
	Si no hubiera un labrador.
CAPITAN.	¡ Vive Dios, que ya es bajeza
	Sufrirlo !
CRESPO.	Ved que yo estoy
	De por medio.

(Sacan las espadas.)

REBOLLEDO.	¡ Vive Cristo,
	Chispa, que ha de haber hurgón !

CHISPA. (*Voceando.*)
　　　　　　¡ Aquí del cuerpo de guardia !
REBOLLEDO.　¡ Don Lope ! (*Ap.* Ojo avizor.)

ESCENA XVII

DON LOPE, *con hábito muy galán y bengala;*
SOLDADOS, UN TAMBOR. — DICHOS

DON LOPE.　　¿ Qué es aquesto ?　La primera
　　　　　　Cosa que he de encontrar hoy,
　　　　　　Acabado de llegar,
　　　　　　¿ Ha de ser una cuestión ?
CAPITAN (*Ap.*) ¡ A qué mal tiempo Don Lope
　　　　　　De Figueroa llegó !
CRESPO (*Ap.*)　Por Dios que se las tenía
　　　　　　Con todos el rapagón.
DON LOPE.　　¿ Qué ha habido ?　¿ Qué ha sucedido ?
　　　　　　Hablad, porque ¡ voto a Dios,
　　　　　　Que a hombres, mujeres y casa
　　　　　　Eche por un corredor !
　　　　　　¿ No me basta haber subido
　　　　　　Hasta aquí, con el dolor
　　　　　　Desta pierna, que los diablos
　　　　　　Llevaran, amén, sino
　　　　　　No decirme: «Aquesto ha sido ?»
CRESPO.　　　Todo esto es nada, señor.
DON LOPE.　　Hablad, decid la verdad.
CAPITAN.　　　Pues es que alojado estoy
　　　　　　En esta casa: un soldado . . .
DON LOPE.　　Decid.
CAPITAN.　　　　　　Ocasión me dió
　　　　　　A que sacase con él
　　　　　　La espada.　Hasta aquí se entró
　　　　　　Huyendo; entréme tras él
　　　　　　Donde estaban esas dos
　　　　　　Labradoras; y su padre
　　　　　　Y su hermano, o lo que son,

	Se han disgustado de que
	Entrase hasta aquí
DON LOPE.	Pues yo
	A tan buen tiempo he llegado,
	Satisfaré a todos hoy.
	¿ Quién fué el soldado, decid,
	Que a su capitán le dió
	Ocasión de que sacase
	La espada ?
REBOLLEDO. (Ap.)	¿ Que pago yo
	Por todos ?
ISABEL.	Aquéste fué
	El que huyendo hasta aquí entró.
DON LOPE.	Denle dos tratos de cuerda.
REBOLLEDO.	¿ Tra-qué me han de dar, señor ?
DON LOPE.	Tratos de cuerda.
REBOLLEDO.	Yo hombre
	De aquesos tratos no soy.
CHISPA (Ap.)	Desta vez me lo estropean.
CAPITAN. (Ap. a él.)	
	¡ Ha, Rebolledo ! por Dios,
	Que nada digas: yo haré
	Que te libren.
REBOLLEDO.	(Ap. al Capitán. ¿ Cómo no
	Lo he de decir, pues si callo,
	Los brazos me pondrán hoy
	Atrás como mal soldado ?)
	El Capitán me mandó
	Que fingiese la pendencia,
	Para tener ocasión
	De entrar aquí.
CRESPO.	Ved agora
	Si hemos tenido razón.
DON LOPE.	No tuvisteis para haber
	Así puesto en ocasión
	De perderse este lugar. —
	Hola, echa un bando, tambor,
	Que al cuerpo de guardia vayan

Los soldados cuantos son,
Y que no salga ninguno,
Pena de muerte, en todo hoy. —
Y para que no quedéis
Con aqueste empeño vos,
Y vos con este disgusto,
Y satisfechos los dos,
Buscad otro alojamiento;
Que yo en esta casa estoy
Desde hoy alojado, en tanto
Que a Guadalupe no voy,
Donde está el Rey.

CAPITAN.   Tus preceptos
Órdenes precisas son
Para mí.

(Vanse el Capitán, los soldados y la Chispa.)

CRESPO.   Entraos allá dentro.

(Vanse Isabel, Inés y Juan.)

ESCENA XVIII

CRESPO, DON LOPE

CRESPO.   Mil gracias, señor, os doy
Por la merced que me hicisteis
De excusarme una ocasión
De perderme.

DON LOPE.   ¿ Cómo habíais,
Decid, de perderos vos ?

CRESPO.   Dando muerte a quien pensara
Ni aun el agravio menor . . .

DON LOPE.   ¿ Sabéis, voto a Dios, que es
Capitán ?

CRESPO.   Sí, voto a Dios;
Y aunque fuera el general,
En tocando a mi opinión,
Le matara.

DON LOPE.   A quien tocara,
Ni aun al soldado menor,
Sólo un pelo de la ropa,
Por vida del cielo, yo
Le ahorcara.

CRESPO.   A quien se atreviera
A un átomo de mi honor,
Por vida también del cielo,
Que también le ahorcara yo.

DON LOPE.   ¿ Sabéis que estáis obligado
A sufrir, por ser quien sois,
Estas cargas ?

CRESPO.   Con mi hacienda;
Pero con mi fama no.
Al Rey la hacienda y la vida
Se ha de dar; pero el honor
Es patrimonio del alma,
Y el alma sólo es de Dios.

DON LOPE.   ¡ Juro a Cristo, que parece
Que vais teniendo razón !

CRESPO.   Sí, juro a Cristo, porque
Siempre la he tenido yo.

DON LOPE.   Yo vengo cansado, y esta
Pierna que el diablo me dió,
Ha menester descansar.

CRESPO.   Pues ¿ quién os dice que no ?
Ahí me dió el diablo una cama,
Y servirá para vos.

DON LOPE.   ¿ Y dióla hecha el diablo ?
CRESPO.   Sí.
DON LOPE.   Pues a deshacerla voy;
Que estoy, voto a Dios, cansado.

CRESPO.   Pues descansad, voto a Dios.
DON LOPE. (Ap.)
Testarudo es el villano;
Tan bien jura como yo.

CRESPO. (Ap.) Caprichudo es el Don Lope:
No haremos migas los dos.

JORNADA SEGUNDA

Calle

ESCENA PRIMERA

Don Mendo, Nuño

DON MENDO. ¿Quién os contó todo eso?

NUÑO. Todo esto contó Ginesa,
Su criada.

DON MENDO. ¿El Capitán,
Después de aquella pendencia
Que en su casa tuvo (fuese
Ya verdad o ya cautela)
Ha dado en enamorar
A Isabel?

NUÑO. Y es de manera,
Que tan poco humo en su casa
Él hace como en la nuestra
Nosotros. Él todo el día
No se quita de su puerta;
No hay hora que no la envíe
Recados: con ellos entra
Y sale un mal soldadillo,
Confidente suyo.

DON MENDO. Cesa;
Que es mucho veneno, mucho,
Para que el alma lo beba
De una vez.

NUÑO. Y más no habiendo
En el estómago fuerzas
Con que resistirle.

DON MENDO. Hablemos
Un rato, Nuño, de veras.

NUÑO.   ¡ Pluguiera a Dios fueran burlas !

DON MENDO.   ¿ Y qué le responde ella ?

NUÑO.   Lo que a ti, porque Isabel
Es deidad hermosa y bella,
A cuyo cielo no empañan
Los vapores de la tierra.

DON MENDO.   ¡ Buenas nuevas te dé Dios !

*(Al hacer la exclamación, da una manotada
a Nuño en el rostro.)*

NUÑO.   A ti te dé mal de muelas;
Que me has quebrado dos dientes.
Mas bien has hecho, si intentas
Reformarlos, por familia
Que no sirve ni aprovecha. —
El Capitán.

DON MENDO.   ¡ Vive Dios,
Si por el honor no fuera
De Isabel, que lo matara !

NUÑO. *(Ap.)*   Más será por tu cabeza.

DON MENDO.   Escucharé retirado. —
Aquí a esta parte te llega.

ESCENA II

El Capitán, el Sargento, Rebolledo. — Don
Mendo y Nuño, *retirados*

CAPITAN.   Este fuego, esta pasión,
No es amor solo, que es tema,
Es ira, es rabia, es furor.

REBOLLEDO.   ¡ Oh ! nunca, señor, hubieras
Visto a la hermosa villana
Que tantas ansias te cuesta !

CAPITAN.   ¿ Qué te dijo la criada ?

REBOLLEDO.   ¿ Ya no sabes sus respuestas ?

DON MENDO. *(Ap. a Nuño.)*
Esto ha de ser. Pues ya tiende

La noche sus sombras negras,
Antes que se haya resuelto
A lo mejor mi prudencia,
Ven a armarme.

NUÑO.   Pues qué, ¿ tienes
Más armas, señor, que aquellas
Que están en un azulejo
Sobre el marco de la puerta ?

DON MENDO.   En mi guadarnés presumo
Que hay para tales empresas
Algo que ponerme.

NUÑO.   Vamos
Sin que el Capitán nos sienta.

(Vanse.)

ESCENA III

El Capitán, el Sargento, Rebolledo

CAPITAN.   ¡ Que en una villana haya
Tan hidalga resistencia,
Que no me haya respondido
Una palabra siquiera
Apacible !

SARGENTO.   Éstas, señor,
No de los hombres se prendan
Como tú. Si otro villano
La festejara y sirviera,
Hiciera más caso dél.
Fuera de que son tus quejas
Sin tiempo. Si te has de ir
Mañana, ¿ para qué intentas
Que una mujer en un día
Te escuche y te favorezca ?

CAPITAN.   En un día el sol alumbra
Y falta; en un día se trueca
Un reino todo; en un día

Es edificio una peña;
En un día una batalla
Pérdida y vitoria ostenta;
En un día tiene el mar
Tranquilidad y tormenta;
En un día nace un hombre
Y muere: luego pudiera
En un día ver mi amor
Sombra y luz como planeta,
Pena y dicha como imperio,
Gente y brutos como selva,
Paz y inquietud como mar,
Triunfo y ruina como guerra,
Vida y muerte como dueño
De sentidos y potencias:
Y habiendo tenido edad
En un día su violencia
De hacerme tan desdichado,
¿ Por qué, por qué no pudiera
Tener edad en un día
De hacerme dichoso ? ¿ Es fuerza
Que se engendren más de espacio
Las glorias que las ofensas ?

SARGENTO.
Verla una vez solamente
¿ A tanto extremo te fuerza ?

CAPITAN.
¿ Qué más causa había de haber,
Llegando a verla, que verla ?
De sola una vez a incendio
Crece una breve pavesa;
De una vez sola un abismo
Sulfúreo volcán revienta;
De una vez se enciende el rayo,
Que destruye cuanto encuentra;
De una vez escupe horror
La más reformada pieza;
¿ De una vez amor, qué mucho,
Que fuego en cuatro maneras,
Mina, incendio, pieza, rayo,

Postre, abrase, asombre y hiera?

SARGENTO. ¿No decías que villanas
Nunca tenían belleza?

CAPITAN. Y aun aquesa confianza
Me mató, porque el que piensa
Que va a un peligro, ya va
Prevenido a la defensa;
Quien va a una seguridad,
Es el que más riesgo lleva,
Por la novedad que halla,
Si acaso un peligro encuentra.
Pensé hallar una villana;
Si hallé una deidad, ¿no era
Preciso que peligrase
En mi misma inadvertencia?
En toda mi vida ví
Más divina, más perfecta
Hermosura. ¡Ay, Rebolledo!
No sé qué hiciera por verla.

REBOLLEDO. En la compañía hay soldado
Que canta por excelencia;
Y la Chispa, que es mi alcaida
Del boliche, es la primera
Mujer en jacarear.
Haya, señor, jira y fiesta
Y música a su ventana;
Que con esto podrás verla,
Y aun hablarla.

CAPITAN. 　　　　　　　Como está
Don Lope allí, no quisiera
Despertarle.

REBOLLEDO. 　　　　　　Pues Don Lope
¿Cuándo duerme con su pierna?
Fuera, señor, que la culpa,
Si se entiende, será nuestra,
No tuya, si de rebozo
Vas en la tropa.

CAPITAN.   Aunque tenga
Mayores dificultades,
Pase por todas mis penas.
Juntaos todos esta noche;
Mas de suerte que no entiendan
Que yo lo mando. ¡ Ha, Isabel,
Qué de cuidados me cuestas !

(Vanse el Capitán y el Sargento.)

ESCENA IV

La Chispa. — Rebolledo

CHISPA. *(Dentro.)*
Téngase.

REBOLLEDO.   Chispa, ¿ qué es esto ?

CHISPA.   Hay un pobrete, que queda
Con un rasguño en el rostro.

REBOLLEDO.   Pues ¿ por qué fué la pendencia ?

CHISPA.   Sobre hacerme alicantina
Del barato de hora y media
Que estuvo echando las bolas,
Teniéndome muy atenta
A si eran pares o nones:
Canséme y dile con esta. *(Saca la daga.)*
Mientras que con el barbero
Poniéndose en puntos queda,
Vamos al cuerpo de guardia;
Que allá te daré la cuenta.

REBOLLEDO.   ¡ Bueno es estar de mohina,
Cuando vengo yo de fiesta !

CHISPA.   Pues ¿ qué estorba el uno al otro ?
Aquí está la castañeta:
¿ Qué se ofrece que cantar ?

REBOLLEDO.   Ha de ser cuando anochezca,
Y música más fundada.
Vamos, y no te detengas.

CHISPA.
Anda acá al cuerpo de guardia.
Fama ha de quedar eterna
De mí en el mundo, que soy
Chispilla la Bolichera. (Vanse.)

Sala baja de casa de Crespo, con vistas y salida a un
jardín. Ventana a un lado.

ESCENA V

DON LOPE, CRESPO

CRESPO. (Dentro.)
En este paso, que está
Más fresco, poned la mesa
Al señor Don Lope. Aquí
Os sabrá mejor la cena;
Que al fin los días de agosto
No tienen más recompensa
Que sus noches.

DON LOPE.
Apacible
Estancia en extremo es ésta.

CRESPO.
Un pedazo es de jardín,
Do mi hija se divierta.
Sentaos; que el viento suave
Que en las blandas hojas suena
Destas parras y estas copas,
Mil cláusulas lisonjeras
Hace al compás desta fuente,
Cítara de plata y perlas,
Porque son en trastes de oro
Las guijas templadas cuerdas.
Perdonad si de instrumentos
Solos la música suena,
De músicos que deleiten,
Sin voces que os entretengan.
Que como músicos son
Los pájaros que gorjean,

No quieren cantar de noche,
Ni yo puedo hacerles fuerza.
Sentaos pues, y divertid
Esa continua dolencia.

DON LOPE.   No podré; que es imposible
Que divertimiento tenga.
¡Válgame Dios!

CRESPO.   Valga, amén.

DON LOPE.   Los cielos me den paciencia.
Sentaos, Crespo.

CRESPO.   Yo estoy bien.

DON LOPE.   Sentaos.

CRESPO.   Pues me dais licencia,
Digo, señor, que obedezco,
Aunque excusarlo pudierais. *(Siéntase.)*

DON LOPE.   ¿No sabéis qué he reparado?
Que ayer la cólera vuestra
Os debió de enajenar
De vos.

CRESPO.   Nunca me enajena
A mí de mí nada.

DON LOPE.   Pues
¿Cómo ayer, sin que os dijera
Que os sentarais, os sentasteis,
Aun en la silla primera?

CRESPO.   Porque no me lo dijisteis;
Y hoy, que lo decís, quisiera
No hacerlo: la cortesía,
Tenerla con quien la tenga.

DON LOPE.   Ayer todo erais reniegos,
Porvidas, votos y pesías;
Y hoy estáis más apacible,
Con más gusto y más prudencia.

CRESPO.   Yo, señor, siempre respondo
En el tono y en la letra
Que me hablan: ayer vos
Así hablabais, y era fuerza
Que fuera de un mismo tono

La pregunta y la respuesta.
Demás de que yo he tomado
Por política discreta
Jurar con aquel que jura,
Rezar con aquel que reza.
A todo hago compañía;
Y es aquesto de manera,
Que en toda la noche pude
Dormir, en la pierna vuestra
Pensando, y amanecí
Con dolor en ambas piernas;
Que por no errar la que os duele,
Si es la izquierda o la derecha,
Me dolieron a mí entrambas.
Decidme por vida vuestra
Cuál es, y sépalo yo,
Porque una sola me duela.

DON LOPE.　¿No tengo mucha razón
De quejarme, si ha ya treinta
Años que asistiendo en Flandes
Al servicio de la guerra,
El invierno con la escarcha,
Y el verano con la fuerza
Del sol, nunca descansé,
Y no he sabido qué sea
Estar sin dolor un hora?

CRESPO.　¡Dios, señor, os dé paciencia!

DON LOPE.　¿Para qué la quiero yo?

CRESPO.　No os la dé.

DON LOPE.　　　　　　Nunca acá venga,
Sino que dos mil demonios
Carguen conmigo y con ella.

CRESPO.　Amén, y si no lo hacen,
Es por no hacer cosa buena.

DON LOPE.　¡Jesús mil veces, Jesús!

CRESPO.　Con vos y conmigo sea.

DON LOPE.　¡Voto a Cristo, que me muero!

CRESPO.　¡Voto a Cristo, que me pesa!

ESCENA VI

JUAN, *que saca la mesa.* — DON LOPE

JUAN.
Ya tienes la mesa aquí.

DON LOPE.
¿Cómo a servirla no entran
Mis criados ?

CRESPO.
Yo, señor,
Dije, con vuestra licencia,
Que no entraran a serviros,
Y que en mi casa no hicieran
Prevenciones; que a Dios gracias,
Pienso que no os falte en ella
Nada.

DON LOPE.
Pues no entran criados,
Hacedme favor que venga
Vuestra hija aquí a cenar
Conmigo.

CRESPO.
Dila que venga
Tu hermana al instante, Juan.

(Vase Juan.)

DON LOPE.
Mi poca salud me deja
Sin sospecha en esta parte.

CRESPO.
Aunque vuestra salud fuera,
Señor, la que yo os deseo,
Me dejara sin sospecha.
Agravio hacéis a mi amor,
Que nada de eso me inquieta;
Que el decirla que no entrara
Aquí, fué con advertencia
De que no estuviese a oír
Ociosas impertinencias.
Que si todos los soldados
Corteses como vos fueran,
Ella había de acudir
A serviros la primera.

DON LOPE. *(Ap.)*

> ¡ Qué ladino es el villano,
> O cómo tiene prudencia !

ESCENA VII

JUAN, INÉS, ISABEL. — DON LOPE, CRESPO

ISABEL.   ¿ Qué es, señor, lo que me mandas ?

CRESPO.   El señor Don Lope intenta
Honraros: él es quien llama.

ISABEL.   Aquí está una esclava vuestra.

DON LOPE.   Serviros intento yo:
(Ap.) (¡ Qué hermosura tan honesta !)
Que cenéis conmigo quiero.

ISABEL.   Mejor es que a vuestra cena
Sirvamos las dos.

DON LOPE.   Sentaos.

CRESPO.   Sentaos, haced lo que ordena
El señor Don Lope.

ISABEL.   Está
El mérito en la obediencia.
(Siéntanse. — Tocan dentro guitarras.)

DON LOPE.   ¿ Qué es aquello ?

CRESPO.   Por la calle
Los soldados se pasean
Cantando y bailando.

DON LOPE.   Mal
Los trabajos de la guerra
Sin aquesta libertad
Se llevaran; que es estrecha
Religión la de un soldado,
Y darla ensanchas es fuerza.

JUAN.   Con todo eso, es linda vida.

DON LOPE.   ¿ Fuérades con gusto a ella ?

JUAN.   Sí, señor, como llevara
Por amparo a Vuecelencia.

ESCENA VIII

SOLDADOS, REBOLLEDO. — DICHOS

UN SOLDADO. *(Dentro.)*
> Mejor se cantará aquí.

REBOLLEDO. *(Dentro.)*
> Vaya a Isabel una letra,
> Para que despierte, tira
> A su ventana una piedra.

> *(Suena una piedra en una ventana.)*

CRESPO. *(Ap.)* A ventana señalada
> Va la música: paciencia.

UNA VOZ. *(Canta dentro.)*
> *Las flores del romero,*
> *Niña Isabel,*
> *Hoy son flores azules,*
> *Y mañana serán miel.*

DON LOPE.
> *(Ap.* Música, vaya; mas esto
> De tirar es desvergüenza . . .
> ¡ Y a la casa donde estoy
> Venirse a dar cantaletas ! . . .
> Pero disimularé
> Por Pedro Crespo y por ella.)
> ¡ Qué travesuras !

CRESPO.   Son mozos.
> *(Ap.* Si por Don Lope no fuera,
> Yo les hiciera . . .)

JUAN. *(Ap.)*   Si yo
> Una rodelilla vieja,
> Que en el cuarto de Don Lope
> Está colgada, pudiera
> Sacar . . .   *(Hace que se va.)*

CRESPO.   ¿ Dónde vais, mancebo ?

JUAN.   Voy a que traigan la cena.

CRESPO.   Allá hay mozos que la traigan.

SOLDADOS. *(Dentro, cantando.)*
> *Despierta, Isabel, despierta.*

ISABEL. *(Ap.)*   ¿ Qué culpa tengo yo, cielos,
Para estar a esto sujeta ?

DON LOPE.   Ya no se puede sufrir,
Porque es cosa muy mal hecha.

(Arroja la mesa.)

CRESPO.   Pues ¡ y cómo si lo es !

(Arroja la silla.)

DON LOPE.   *(Ap.* Llevéme de mi impaciencia.)
¿ No es, decidme, muy mal hecho,
Que tanto una pierna duela ?

CRESPO.   De eso mismo hablaba yo.

DON LOPE.   Pensé que otra cosa era.
Como arrojasteis la silla . . .

CRESPO.   Como arrojasteis la mesa
Vos, no tuve que arrojar
Otra cosa yo más cerca.
(Ap.) (Disimulemos, honor.)

DON LOPE.   *(Ap.)* (¡ Quién en la calle estuviera !)
Ahora bien, cenar no quiero.
Retiraos.

CRESPO.   En hora buena.

DON LOPE.   Señora, quedad con Dios.

ISABEL.   El cielo os guarde.

DON LOPE. *(Ap.)*   A la puerta
De la calle ¿ no es mi cuarto ?
Y en él ¿ no está una rodela ?

CRESPO. *(Ap.)*   ¿ No tiene puerta el corral,
Y yo una espadilla vieja ?

DON LOPE.   Buenas noches.

CRESPO.   Buenas noches.
(Ap.) (Encerraré por defuera
A mis hijos.)

DON LOPE. *(Ap.)*   Dejaré
Un poco la casa quieta.

ISABEL *(Ap.)*   ¡ Oh qué mal, cielos, los dos
Disimulan que les pesa !

INES. *(Ap.)*   Mal el uno por el otro
                 Van haciendo la deshecha.
CRESPO.   ¡ Hola, mancebo ! . . .
JUAN.   Señor.
CRESPO.   Acá está la cama vuestra.   *(Vanse.)*

Calle

ESCENA IX

EL CAPITÁN, EL SARGENTO; LA CHISPA y
REBOLLEDO, *con guitarras*, SOLDADOS

REBOLLEDO.   Mejor estamos aquí.
                 El sitio es más oportuno:
                 Tome rancho cada uno.
CHISPA.   ¿ Vuelve la música ?
REBOLLEDO.   Sí.
CHISPA.   Ahora estoy en mi centro.
CAPITAN.   ¡ Que no haya una ventana
                 Entreabierto esta villana !
SARGENTO.   Pues bien lo oyen allá dentro.
CHISPA.   Espera.
SARGENTO.   Será a mi costa.
REBOLLEDO.   No es más de hasta ver quién es
                 Quien llega.
CHISPA.   Pues qué, ¿ no ves
                 Un jinete de la costa ?

ESCENA X

DON MENDO, *con adarga*, NUÑO. — DICHOS

DON MENDO. *(Ap. a Nuño.)*
                 ¿ Ves bien lo que pasa ?
NUÑO.   No,
                 No veo bien; pero bien
                 Lo escucho.

DON MENDO.   ¿ Quién, cielos, quién
Esto puede sufrir ?
NUÑO.   Yo.
DON MENDO.   ¿ Abrirá acaso Isabel
La ventana ?
NUÑO.   Sí abrirá.
DON MENDO.   No hará, villano.
NUÑO.   No hará.
DON MENDO.   ¡ Ha, celos, pena cruel !
Bien supiera yo arrojar
A todos a cuchilladas
De aquí; más disimuladas
Mis desdichas han de estar
Hasta ver si ella ha tenido
Culpa dello.
NUÑO.   Pues aquí
Nos sentemos.
DON MENDO.   Bien: así
Estaré desconocido.
REBOLLEDO.   Pues ya el hombre se ha sentado,
Si ya no es que ser ordena
Algún alma que anda en pena
De las cañas que ha jugado
Con su adarga a cuestas, da
Voz al aire.   *(A la Chispa.)*
CHISPA.   Ya él la lleva.
REBOLLEDO.   Va una jácara tan nueva,
Que corra sangre.
CHISPA.   Sí hará.

ESCENA XI

Don Lope y Crespo a un tiempo, con broqueles y
cada uno por su lado. — Dichos

CHISPA. *(Canta.)*
          Érase cierto Sampayo
          La flor de los andaluces,

>*El jaque de mayor porte*
>*Y el rufo de mayor lustre.*
>*Éste pues a la Chillona*
>*Topó un día . . .*

REBOLLEDO.　　　　　　　　No le culpen
>*La fecha; que el asonante*
>*Quiere que haya sido en lunes.*

CHISPA.　　*Topó, digo, a la Chillona,*
>*Que brindando entre dos luces,*
>*Ocupaba con el Garlo*
>*La casa de las azumbres.*
>*El Garlo, que siempre fué,*
>*En todo lo que le cumple,*
>*Rayo de tejado abajo,*
>*Porque era rayo sin nube,*
>*Sacó la espada, y a un tiempo.*
>*Un tajo y revés sacude.*

CRESPO.　　Sería desta manera.

DON LOPE.　　Que sería así no duden. —

(Acuchillan Don Lope y Crespo a los solda-
dos y a Don Mendo y Nuño; métenlos, y
vuelve Don Lope.)

>¡ Gran valor! y uno ha quedado
>Dellos, y es el que está aquí.

(Vuelve Crespo.)

CRESPO.　　Cierto es que el que queda ahí
>Sin duda es algún soldado.

DON LOPE. *(Ap.)*
>Ni aun éste no ha de escapar
>Sin almagre.

CRESPO. *(Ap.)*　　　　Ni éste quiero
>Que quede sin que mi acero
>La calle le haga dejar.

DON LOPE.　　¿ No huis con los otros ?

CRESPO.   Huid vos,
Que sabréis huir más bien.

(Riñen.)

DON LOPE. (Ap.)
                    ¡ Voto a Dios, que riñe bien !
CRESPO. (Ap.) ¡ Bien pelea, voto a Dios !

ESCENA XII

JUAN, con espada. — DON LOPE, CRESPO

JUAN.   (Ap. Quiera el cielo que le tope.)
               Señor, a tu lado estoy.
DON LOPE.   ¿ Es Pedro Crespo ?
CRESPO.   Yo soy.
               ¿ Es Don Lope ?
DON LOPE.   Sí, es Don Lope.
               ¿ Que no habíais, no dijisteis,
               De salir ?   ¿ Qué hazaña es ésta ?
CRESPO.   Sean disculpa y respuesta
               Hacer lo que vos hicisteis.
DON LOPE.   Aquésta era ofensa mía,
               Vuestra no.
CRESPO.   No hay que fingir;
               Que yo he salido a reñir
               Por haceros compañía.

ESCENA XIII

SOLDADOS, EL CAPITÁN. — DICHOS

SOLDADOS. (Dentro.)
               A dar muerte nos juntemos
               A estos villanos.
CAPITAN. (Dentro.)   Mirad . . .

(Salen los soldados y el Capitán.)

DON LOPE.   ¿ Aquí no estoy yo ?   Esperad.
              ¿ De qué son estos extremos ?
CAPITAN.   Los soldados han tenido
              (Porque se estaban holgando
              En esta calle, cantando
              Sin alboroto ni ruido)
              Una pendencia, y yo soy
              Quien los está deteniendo.
DON LOPE.   Don Álvaro, bien entiendo
              Vuestra prudencia; y pues hoy
              Aqueste lugar está
              En ojeriza, yo quiero
              Excusar rigor más fiero;
              Y pues amanece ya,
              Orden doy que en todo el día,
              Para que mayor no sea
              El daño, de Zalamea
              Saquéis vuestra compañía:
              Y estas cosas acabadas,
              No vuelvan a ser, porque
              La paz otra vez pondré,
              Voto a Dios, a cuchilladas.
CAPITAN.   Digo que aquesta mañana
              La compañía haré marchar.
              (Ap. La vida me has de costar,
              Hermosísima villana.)
CRESPO. (Ap.) Caprichudo es el Don Lope;
              Ya haremos migas los dos.
DON LOPE.   Veníos conmigo vos,
              Y sólo ninguno os tope.   (Vanse.)

                    ESCENA XIV

              DON MENDO; NUÑO, herido

DON MENDO.   ¿ Es algo, Nuño, la herida ?
NUÑO.   Aunque fuera menor, fuera
              De mí muy mal recibida,

Y mucho más que quisiera.

DON MENDO.   Yo no he tenido en mi vida
Mayor pena ni tristeza.

NUÑO.   Yo tampoco.

DON MENDO.   Que me enoje
Es justo.   ¿ Que su fiereza
Luego te dió en la cabeza ?

NUÑO.   Todo este lado me coge.

(Tocan dentro.)

DON MENDO.   ¿ Qué es esto ?

NUÑO.   La compañía
Que hoy se va.

DON MENDO.   Y es dicha mía,
Pues con eso cesarán
Los celos del Capitán.

NUÑO.   Hoy se ha de ir en todo el día.

ESCENA XV

EL CAPITÁN y EL SARGENTO, *a un lado.* — DON
MENDO y NUÑO, *al otro*

CAPITAN.   Sargento, vaya marchando
Antes que decline el día
Con toda la compañía,
Y con prevención que cuando
Se esconda en la espuma fría
Del océano español
Ese luciente farol,
En ese monte le espero,
Porque hallar mi vida quiero
Hoy en la muerte del sol.

SARGENTO. *(Ap. al Capitán.)*
Calla, que está aquí un figura
Del lugar.

DON MENDO.   *(Ap. a Nuño.)*   Pasar procura
Sin que entiendan mi tristeza.

No muestres, Nuño, flaqueza.

NUÑO. ¿ Puedo yo mostrar gordura ?

(*Vanse don Mendo y Nuño.*)

ESCENA XVI

EL CAPITÁN, EL SARGENTO

CAPITAN. Yo he de volver al lugar,
Porque tengo prevenida
Una criada, a mirar
Si puedo por dicha hablar
A aquesta hermosa homicida.
Dádivas han granjeado
Que apadrine mi cuidado.

SARGENTO. Pues, señor, si has de volver,
Mira que habrás menester
Volver bien acompañado;
Porque al fin no hay que fiar
De villanos.

CAPITAN.   Ya lo sé.
Algunos puedes nombrar
Que vuelvan conmigo.

SARGENTO.   Haré
Cuanto me quieras mandar;
Pero ¿ si acaso volviese
Don Lope, y te conociese
Al volver ?

CAPITAN.   Ese temor
Quiso también que perdiese
En esta parte mi amor;
Que Don Lope se ha de ir
Hoy también a prevenir
Todo el tercio a Guadalupe;
Que todo lo dicho supe
Yéndome ahora a despedir
Dél, porque ya el Rey vendrá,
Que puesto en camino está.

SARGENTO.	Voy, señor, a obedecerte. *(Vase.)*
CAPITAN.	Que me va la vida advierte.

ESCENA XVII

Rebolledo, la Chispa. — El Capitán

REBOLLEDO.	Señor, albricias me da.
CAPITAN.	¿ De qué han de ser, Rebolledo ?
REBOLLEDO.	Muy bien merecerlas puedo,
	Pues solamente te digo . . .
CAPITAN.	¿ Qué ?
REBOLLEDO.	Que ya hay un enemigo
	Menos a quien tener miedo.
CAPITAN.	¿ Quién es ? Dilo presto.
REBOLLEDO.	Aquel
	Mozo, hermano de Isabel.
	Don Lope se le pidió
	Al padre, y él se le dió,
	Y va a la guerra con él.
	En la calle le he topado
	Muy galán, muy alentado,
	Mezclando a un tiempo, señor,
	Rezagos de labrador
	Con primicias de soldado;
	De suerte que el viejo es ya
	Quien pesadumbre nos da.
CAPITAN.	Todo nos sucede bien,
	Y más si me ayuda quien
	Esta esperanza me da
	De que esta noche podré
	Hablarla.
REBOLLEDO.	No pongas duda.
CAPITÁN.	Del camino volveré;
	Que agora es razón que acuda
	A la gente que se ve
	Ya marchar. Los dos seréis
	Los que conmigo vendréis. *(Vase.)*

REBOLLEDO.	Pocos somos, vive Dios,
	Aunque vengan otros dos,
	Otros cuatro y otros seis.
CHISPA.	Y yo, si tú has de volver
	Allá ¿ qué tengo de hacer ?
	Pues no estoy segura yo,
	Si da conmigo el que dió
	Al barbero que coser.
REBOLLEDO.	No sé que he de hacer de ti.
	¿ No tendrás ánimo, di,
	De acompañarme ?
CHISPA.	¿ Pues no ?
	Vestido no tengo yo,
	Ánimo y esfuerzo sí.
REBOLLEDO.	Vestido no faltará;
	Que ahí otro del paje está
	De jineta, que se fué.
CHISPA.	Pues yo a la par pasaré
	Con él.
REBOLLEDO.	Vamos, que se va
	La bandera.
CHISPA.	Y yo veo agora
	Por qué en el mundo he cantado:
	« Que el amor del soldado
	No dura un hora. » (*Vanse.*)

ESCENA XVIII

DON LOPE, CRESPO, JUAN

DON LOPE.	A muchas cosas os soy
	En extremo agradecido;
	Pero sobre todas. ésta
	De darme hoy a vuestro hijo
	Para soldado, en el alma
	Os la agradezco y estimo.
CRESPO.	Yo os le doy para criado.

DON LOPE.   Yo os le llevo para amigo;
                Que me ha inclinado en extremo
                Su desenfado y su brío,
                Y la afición a las armas.

JUAN.   Siempre a vuestros pies rendido
                Me tendréis, y vos veréis
                De la manera que os sirvo,
                Procurando obedeceros
                En todo.

CRESPO.   Lo que os suplico,
                Es que perdonéis, señor,
                Si no acertare a serviros,
                Porque en el rústico estudio,
                A donde rejas y trillos,
                Palas, azadas y bielgos
                Son nuestros mejores libros,
                No habrá podido aprender
                Lo que en los palacios ricos
                Enseña la urbanidad,
                Política de los siglos.

DON LOPE.   Ya que va perdiendo el sol
                La fuerza, irme determino.

JUAN.   Veré si viene, señor,
                La litera.   *(Vase.)*

ESCENA XIX

ISABEL, INÉS. — DON LOPE, CRESPO

ISABEL.   ¿Y es bien iros,
                Sin despediros de quien
                Tanto desea serviros?

DON LOPE. *(A Isabel.)*
                No me fuera sin besaros
                Las manos y sin pediros
                Que liberal perdonéis
                Un atrevimiento digno
                De perdón, porque no el precio

Hace el don, sino el servicio.
Esta venera, que aunque
Está de diamantes ricos
Guarnecida, llega pobre
A vuestras manos, suplico
Que la toméis y traigáis
Por patena, en nombre mío.

ISABEL.
Mucho siento que penséis,
Con tan generoso indicio,
Que pagáis el hospedaje,
Pues de honra que recibimos,
Somos los deudores.

DON LOPE.
                                        Esto
No es paga, sino cariño.

ISABEL.
Por cariño, y no por paga,
Solamente la recibo.
A mi hermano os encomiendo,
Ya que tan dichoso ha sido,
Que merece ir por criado
Vuestro.

DON LOPE.
                        Otra vez os afirmo
Que podéis descuidar dél;
Que va, señora, conmigo.

ESCENA XX

JUAN. — DICHOS

JUAN.
Ya está la litera puesta.

DON LOPE.
Con Dios os quedad.

CRESPO.
                                        El mismo
Os guarde.

DON LOPE.
                        ¡Ha buen Pedro Crespo!

CRESPO.
¡Ha Señor Don Lope invicto!

DON LOPE.
¿Quién nos dijera aquel día
Primero que aquí nos vimos,
Que habíamos de quedar
Para siempre tan amigos?

CRESPO.   Yo lo dijera, señor,
                Si allí supiera, al oíros,
                Que erais . . .   (Al irse ya.)
DON LOPE.   Decid por mi vida.
CRESPO.   Loco de tan buen capricho.

                (Vase Don Lope.)

ESCENA XXI

CRESPO, JUAN, ISABEL, INÉS

CRESPO.   En tanto que se acomoda
                El señor Don Lope, hijo,
                Ante tu prima y tu hermana
                Escucha lo que te digo.
                Por la gracia de Dios, Juan,
                Eres de linaje limpio
                Más que el sol, pero villano:
                Lo uno y lo otro te digo,
                Aquello, porque no humilles
                Tanto tu orgullo y tu brío,
                Que dejes, desconfiado,
                De aspirar con cuerdo arbitrio
                A ser más; lo otro, porque
                No vengas, desvanecido,
                A ser menos: igualmente
                Usa de entrambos designios
                Con humildad; porque siendo
                Humilde, con recto juicio
                Acordarás lo mejor;
                Y como tal, en olvido
                Pondrás cosas que suceden
                Al revés en los altivos.
                ¡ Cuántos, teniendo en el mundo
                Algún defeto consigo
                Le han borrado por humildes !
                Y ¡ cuántos, que no han tenido

Defeto, se le han hallado,
Por estar ellos mal vistos !
Sé cortés sobremanera,
Sé liberal y partido;
Que el sombrero y el dinero
Son los que hacen los amigos;
Y no vale tanto el oro
Que el sol engendra en el indio
Suelo y que consume el mar,
Como ser uno bienquisto.
No hables mal de las mujeres;
La más humilde, te digo
Que es digna de estimación,
Porque, al fin, dellas nacimos.
No riñas por cualquier cosa;
Que cuando en los pueblos miro
Muchos que a reñir se enseñan,
Mil veces entre mí digo:
«Aquesta escuela no es
La que ha de ser, pues colijo
Que no ha de enseñarle a un hombre
Con destreza, gala y brío
A reñir, sino a por qué
Ha de reñir; que yo afirmo
Que si hubiera un maestro solo
Que enseñara prevenido,
No el cómo, el por qué se riña,
Todos le dieran sus hijos».
Con esto, y con el dinero
Que llevas para el camino,
Y para hacer, en llegando
De asiento, un par de vestidos,
El amparo de Don Lope
Y mi bendición, yo fío
En Dios que tengo de verte
En otro puesto.   Adiós, hijo;
Que me enternezco en hablarte.

JUAN.   Hoy tus razones imprimo

En el corazón, adonde
Vivirán, mientras yo vivo.
Dame tu mano, y tú, hermana,
Los brazos; que ya ha partido
Don Lope, mi señor, y es
Fuerza alcanzarlo.

ISABEL.   Los míos
Bien quisieran detenerte.

JUAN.   Prima, adiós.

INES.   Nada te digo
Con la voz, porque los ojos
Hurtan a la voz su oficio.
Adiós.

CRESPO.   Ea, vete presto;
Que cada vez que te miro,
Siento más el que te vayas:
Y ha de ser, porque lo he dicho.

JUAN.   El cielo con todos quede.

CRESPO.   El cielo vaya contigo.   (*Vase Juan.*)

ESCENA XXII

CRESPO, ISABEL, INÉS

ISABEL.   ¡Notable crueldad has hecho!

CRESPO.   (*Ap.* Agora que no le miro,
Hablaré más consolado.)
¿Qué había de hacer conmigo,
Sino ser toda su vida
Un holgazán, un perdido?
Váyase a servir al Rey.

ISABEL.   Que de noche haya salido
Me pesa a mí.

CRESPO.   Caminar
De noche por el estío,
Antes es comodidad
Que fatiga, y es preciso
Que a Don Lope alcance luego

Al instante. (*Ap.* Enternecido
Me deja, cierto, el muchacho,
Aunque en público me animo.)

ISABEL. Éntrate, señor, en casa.

INES. Pues sin soldados vivimos,
Estémonos otro poco
Gozando a la puerta el frío
Viento que corre; que luego
Saldrán por ahí los vecinos.

CRESPO. (*Ap.* A la verdad, no entro dentro,
Porque desde aquí imagino,
Como el camino blanquea,
Que veo a Juan en el camino.)
Inés, sácame a esta puerta
Asiento.

INES. Aquí está un banquillo.

ISABEL. Esta tarde diz que ha hecho
La villa elección de oficios.

CRESPO. Siempre aquí por el agosto
Se hace. (*Siéntanse.*)

ESCENA XXIII

El Capitán, el Sargento, Rebolledo, la Chispa y
Soldados, *embozados.* — Crespo, Isabel, Inés

CAPITAN. (*Ap. a los suyos.*) Pisad sin ruido.
Llega, Rebolledo, tú,
Y da a la criada aviso
De que ya estoy en la calle.

REBOLLEDO. Yo voy. Mas ¡qué es lo que miro!
A su puerta hay gente.

SARGENTO. Y yo
En los reflejos y visos
Que la luna hace en el rostro,
Que es Isabel, imagino
Ésta.

CAPITAN. Ella es: más que la luna,

El corazón me lo ha dicho.
A buena ocasión llegamos.
Si ya que una vez venimos,
Nos atrevemos a todo,
Buena venida habrá sido.

SARGENTO. ¿Estás para oír un consejo?

CAPITAN. No.

SARGENTO.   Pues ya no te le digo.
Intenta lo que quisieres.

CAPITAN. Yo he de llegar, y atrevido
Quitar a Isabel de allí.
Vosotros a un tiempo mismo
Impedid a cuchilladas
El que me sigan.

SARGENTO.   Contigo
Venimos, y a tu orden hemos
De estar.

CAPITAN.   Advertid que el sitio
En que habemos de juntarnos
Es ese monte vecino,
Que está a la mano derecha,
Como salen del camino.

REBOLLEDO. Chispa.

CHISPA.   ¿Qué?

REBOLLEDO.   Ten esas capas.

CHISPA. Que es del reñir, imagino,
La gala el guardar la ropa,
Aunque del nadar se dijo.

CAPITAN. Yo he de llegar el primero.

CRESPO. Harto hemos gozado el sitio.
Entrémonos allá dentro.

CAPITAN. (Ap. a los suyos.)
Ya es tiempo, llegad, amigos.

(Lléganse a los tres los soldados; detienen a
Crespo y a Inés, y se apoderan de Isabel.)

ISABEL. ¡Ha traidor! Señor, ¿qué es esto?

CAPITAN.   Es una furia, un delirio
                De amor.   *(Llévala y vase.)*
ISABEL. *(Dentro.)*   ¡ Ha traidor ! — ¡ Señor !
CRESPO.   ¡ Ha cobardes !
ISABEL. *(Dentro.)*   ¡ Padre mío !
INES. *(Ap.)*   Yo quiero aquí retirarme.   *(Vase.)*
CRESPO.   ¡ Cómo echáis de ver (¡ ha impíos !)
                Que estoy sin espada, aleves,
                Falsos y traidores !
REBOLLEDO.   Idos,
                Si no queréis que la muerte
                Sea el último castigo.
                    (Vanse los robadores.)
CRESPO.   ¿ Qué importará, si está muerto
                Mi honor, el quedar yo vivo ?
                ¡ Ha, quién tuviera una espada !
                Cuando sin armas seguirlos
                Es imposible, y si airado
                A ir por ella me animo,
                Los he de perder de vista.
                ¿ Qué he de hacer, hados esquivos ?
                Que de cualquiera manera
                Es uno solo el peligro.

                    ESCENA XXIV

            INÉS, *con una espada.* — CRESPO

INES.   Ésta, señor, es tu espada.
CRESPO.   A buen tiempo la has traído.
                Ya tengo honra, pues ya tengo
                Espada con que seguirlos.   *(Vanse.)*

Campo.

ESCENA XXV

CRESPO, *riñendo con* EL SARGENTO, REBOLLEDO *y
los* SOLDADOS; *después,* ISABEL

CRESPO.   Soltad la presa, traidores
Cobardes, que habéis cogido;
Que he de cobrarla, o la vida
He de perder.

SARGENTO.   Vano ha sido
Tu intento, que somos muchos.

CRESPO.   Mis males son infinitos,
Y riñen todos por mí . . .   (*Cae.*)
— Pero la tierra que piso,
Me ha faltado.

REBOLLEDO.   Dale muerte.

SARGENTO.   Mirad que es rigor impío
Quitarle vida y honor.
Mejor es en lo escondido
Del monte dejarle atado,
Porque no lleve el aviso.

ISABEL. (*Dentro.*)

                ¡ Padre y señor !

CRESPO.   ¡ Hija mía !

REBOLLEDO.   Retírale como has dicho.

CRESPO.   Hija, solamente puedo
Seguirte con mis suspiros.

                (*Llévanle.*)

ESCENA XXVI

ISABEL *y* CRESPO, *dentro; después,* JUAN

ISABEL. (*Dentro.*)

                ¡ Ay de mí !

JUAN. *(Saliendo.)*   ¡ Qué triste voz !
CRESPO. *(Dentro.)*
                   ¡ Ay de mí !
JUAN.   ¡ Mortal gemido !
          A la entrada de ese monte
          Cayó mi rocín conmigo,
          Veloz corriendo, y yo ciego
          Por la maleza le sigo.
          Tristes voces a una parte,
          Y a otra míseros gemidos
          Escucho, que no conozco,
          Porque llegan mal distintos.
          Dos necesidades son
          Las que apellidan a gritos
          Mi valor; y pues iguales
          A mi parecer han sido,
          Y uno es hombre, otro mujer,
          A seguir ésta me animo;
          Que así obedezco a mi padre
          En dos cosas que me dijo:
          «Reñir con buena ocasión,
          Y honrar la mujer», pues miro
          Que así honro a la mujer,
          Y con buena ocasión riño.

JORNADA TERCERA

Interior de un monte.

ESCENA PRIMERA

ISABEL, *llorando*

Nunca amanezca a mis ojos
La luz hermosa del día,
Porque a su sombra no tenga
Vergüenza yo de mí misma.
¡ Oh tú, de tantas estrellas
Primavera fugitiva,
No des lugar a la aurora,
Que tu azul campaña pisa,
Para que con risa y llanto
Borre tu apacible vista,
O ya que ha de ser, que sea
Con llanto, mas no con risa !
Detente, oh mayor planeta,
Más tiempo en la espuma fría
Del mar: deja que una vez
Dilate la noche esquiva
Su trémulo imperio: deja
Que de tu deidad se diga,
Atenta a mis ruegos, que es
Voluntaria y no precisa.
¿ Para qué quieres salir
A ver en la historia mía
La más inorme maldad,
La más fiera tiranía,
Que en vergüenza de los hombres
Quiere el cielo que se escriba ?
Mas ¡ ay de mí ! que parece

Que es crueldad tu tiranía;
Pues desde que te rogué
Que te detuvieses, miran
Mis ojos tu faz hermosa
Descollarse por encima
De los montes. ¡ Ay de mí !
Que acosada y perseguida
De tantas penas, de tantas
Ansias, de tantas impías
Fortunas, contra mi honor
Se han conjurado tus iras.
¿ Qué he de hacer ? ¿ Dónde he de ir ?
Si a mi casa determinan
Volver mis erradas plantas,
Será dar nueva mancilla
A un anciano padre mío,
Que otro bien, otra alegría
No tuvo, sino mirarse
En la clara luna limpia
De mi honor, que hoy desdichado
Tan torpe mancha le eclipsa.
Si dejo, por su respeto
Y mi temor afligida,
De volver a casa, dejo
Abierto el paso a que diga
Que fuí cómplice en mi infamia;
Y ciega y inadvertida
Vengo a hacer de la inocencia
Acreedora a la malicia.
¡ Qué mal hice, qué mal hice
De escaparme fugitiva
De mi hermano ! ¿ No valiera
Más que su cólera altiva
Me diera la muerte, cuando
Llegó a ver la suerte mía ?
Llamarle quiero, que vuelva
Con saña más vengativa,
Y me dé muerte: confusas

Voces el eco repita,
Diciendo . . .

ESCENA II

CRESPO. — ISABEL

CRESPO. *(Dentro.)*   Vuelve a matarme.
Serás piadoso homicida;
Que no es piedad el dejar
A un desdichado con vida.

ISABEL. ¿ Qué voz es ésta, qué mal
Pronunciada y poco oída,
No se deja conocer ?

CRESPO. *(Dentro.)*
Dadme muerte, si os obliga
Ser piadosos.

ISABEL.   ¡ Cielos, cielos !
Otro la muerte apellida,
Otro desdichado hay,
Que hoy a pesar suyo viva.

(Aparta unas ramas y descúbrese Crespo atado.)

Mas ¿ qué es lo que ven mis ojos ?

CRESPO. Si piedades solicita
Cualquiera que aqueste monte
Temerosamente pisa,
Llegue a dar muerte . . . Mas ¡ cielos !
¿ Qué es lo que mis ojos miran ?

ISABEL. Atadas atrás las manos
A una rigurosa encina . . .

CRESPO. Enterneciendo los cielos
Con las voces que apellida . . .

ISABEL. Mi padre está.

CRESPO.   Mi hija viene.

ISABEL. ¡ Padre y señor !

CRESPO.
Hija mía,
Llégate, y quita estos lazos.

ISABEL.
No me atrevo; que si quitan
Los lazos que te aprisionan
Una vez las manos mías,
No me atreveré, señor,
A contarte mis desdichas,
A referirte mis penas;
Porque si una vez te miras
Con manos, y sin honor,
Me darán muerte tus iras;
Y quiero, antes que las veas,
Referirte mis fatigas.

CRESPO.
Detente, Isabel, detente,
No prosigas; que desdichas,
Isabel, para contarlas
No es menester referirlas.

ISABEL.
Hay muchas cosas que sepas,
Y es forzoso que al decirlas,
Tu valor se irrite, y quieras
Vengarlas antes de oírlas.
— Estaba anoche gozando
La seguridad tranquila,
Que al abrigo de tus canas
Mis años me prometían,
Cuando aquellos embozados
Traidores (que determinan
Que lo que el honor defiende
El atrevimiento rinda)
Me robaron: bien así
Como de los pechos quita
Carnicero hambriento lobo
A la simple corderilla.
Aquel Capitán, aquel
Huésped ingrato, que el día
Primero introdujo en casa
Tan nunca esperada cisma
De traiciones y cautelas,

De pendencias y rencillas,
Fué el primero que en sus brazos
Me cogió, mientras le hacían
Espaldas otros traidores,
Que en su bandera militan.
Aqueste intrincado, oculto
Monte, que está a la salida
Del lugar, fué su sagrado:
¿Cuándo de la tiranía
No son sagrado los montes?
Aquí ajena de mí misma
Dos veces me miré, cuando
Aun tu voz, que me seguía,
Me dejó; porque ya el viento
A quien tus acentos fías,
Con la distancia, por puntos
Adelgazándose iba:
De suerte, que las que eran
Antes razones distintas,
No eran voces, sino ruido;
Luego, en el viento esparcidas,
No eran ruido, sino ecos
De unas confusas noticias;
Como aquel que oye un clarín,
Que cuando dél se retira,
Le queda por mucho rato,
Si no el ruido, la noticia.
El traidor pues en mirando
Que ya nadie hay quien le siga,
Que ya nadie hay que me ampare,
Porque hasta la luna misma
Ocultó entre pardas sombras,
O cruel o vengativa,
Aquella ¡ay de mí! prestada
Luz que del sol participa;
Pretendió ¡ay de mí otra vez
Y otras mil! con fementidas
Palabras, buscar disculpa

A su amor. ¿ A quién no admira
Querer de un instante a otro
Hacer la ofensa caricia ?
¡ Mal haya el hombre, mal haya
El hombre que solicita
Por fuerza ganar un alma,
Pues no advierte, pues no mira
Que las vitorias de amor,
No hay trofeo en que consistan,
Sino en granjear el cariño
De la hermosura que estiman !
Porque querer sin el alma
Una hermosura ofendida
Es querer una belleza
Hermosa, pero no viva.
¡ Qué ruegos, qué sentimientos
Ya de humilde, ya de altiva,
No le dije ! Pero en vano,
Pues (calle aquí la voz mía)
Soberbio (enmudezca el llanto)
Atrevido (el pecho gima)
Descortés (lloren los ojos)
Fiero (ensordezca la envidia)
Tirano (falte el aliento)
Osado (luto me vista) . . .
Y si lo que la voz yerra,
Tal vez el acción explica,
De vergüenza cubro el rostro,
De empacho lloro ofendida,
De rabia tuerzo las manos,
El pecho rompo de ira.
Entiende tú las acciones,
Pues no hay voces que lo digan;
Baste decir que a las quejas
De los vientos repetidas,
En que ya no pedía al cielo
Socorro, sino justicia,
Salió el alba, y con el alba,

Trayendo la luz por guía,
Sentí ruido entre unas ramas:
Vuelvo a mirar quién sería,
Y veo a mi hermano. ¡ Ay cielos !
¿ Cuándo, cuándo ¡ ha suerte impía !
Llegaron a un desdichado
Los favores con más prisa ?
Él a la dudosa luz,
Que, si no alumbra, ilumina,
Reconoce el daño, antes
Que ninguno se le diga;
Que son linces los pesares,
Que penetran con la vista.
Sin hablar palabra, saca
El acero que aquel día
Le ceñiste: el Capitán,
Que el tardo socorro mira
En mi favor, contra el suyo
Saca la blanca cuchilla:
Cierra el uno con el otro;
Éste repara, aquél tira;
Y yo, en tanto que los dos
Generosamente lidian,
Viendo temerosa y triste,
Que mi hermano no sabía
Si tenía culpa o no,
Por no aventurar mi vida
En la disculpa, la espalda
Vuelvo, y por la entretejida
Maleza del monte huyo;
Pero no con tanta prisa,
Que no hiciese de unas ramas
Intrincadas celosías,
Porque deseaba, señor,
Saber lo mismo que huía.
A poco rato, mi hermano
Dió al Capitán una herida:
Cayó, quiso asegundarle,

Cuando los que ya venían
Buscando a su capitán,
En su venganza se incitan.
Quiere defenderse; pero
Viendo que era una cuadrilla,
Corre veloz: no le siguen,
Porque todos determinan
Más acudir al remedio
Que a la venganza que incitan.
En brazos al Capitán
Volvieron hacia la villa
Sin mirar en su delito;
Que en las penas sucedidas,
Acudir determinaron
Primero a la más precisa.
Yo pues que atenta miraba
Eslabonadas y asidas
Unas ansias de otras ansias,
Ciega, confusa y corrida,
Discurrí, bajé, corrí,
Sin luz, sin norte, sin guía,
Monte, llano y espesura,
Hasta que a tus pies rendida
Antes que me des la muerte
Te he contado mis desdichas.
Agora que ya las sabes,
Generosamente anima
Contra mi vida el acero,
El valor contra mi vida;
Que ya para que me mates,
Aquestos lazos te quitan   (*Le desata.*)
Mis manos: alguno dellos
Mi cuello infeliz oprima.
Tu hija soy, sin honra estoy
Y tú libre: solicita
Con mi muerte tu alabanza,
Para que de ti se diga

Que por dar vida a tu honor,
Diste la muerte a tu hija.

CRESPO.   Álzate, Isabel, del suelo:
No, no estés más de rodillas;
Que a no haber estos sucesos
Que atormenten y persigan,
Ociosas fueran las penas
Sin estimación las dichas.
Para los hombres se hicieron,
Y es menester que se impriman
Con valor dentro del pecho.
Isabel, vamos aprisa;
Demos la vuelta a mi casa;
Que este muchacho peligra,
Y hemos menester hacer
Diligencias exquisitas
Por saber dél y ponerle
En salvo.

ISABEL. *(Ap.)*   Fortuna mía,
O mucha cordura, o mucha
Cautela es ésta.

CRESPO.   Camina.

              (Vanse.)

Calle a la entrada del pueblo.

ESCENA III

CRESPO, ISABEL

CRESPO.   ¡ Vive Dios, que si la fuerza
Y necesidad precisa
De curarse, hizo volver
Al Capitán a la villa,
Que pienso que le está bien
Morirse de aquella herida,

Por excusarse de otra
Y otras mil ! que el ansia mía
No ha de parar, hasta darle
La muerte. Ea, vamos, hija,
A nuestra casa.

ESCENA IV

El Escribano. — Crespo, Isabel

ESCRIBANO.   ¡ Oh señor
Pedro Crespo ! dadme albricias.
CRESPO.   ¡ Albricias ! ¿ De qué, Escribano ?
ESCRIBANO.   El concejo aqueste día
Os ha hecho alcalde, y tenéis
Para estrena de justicia
Dos grandes acciones hoy:
La primera es la venida
Del Rey, que estará hoy aquí
O mañana en todo el día,
Según dicen; es la otra
Que agora han traído a la villa
De secreto unos soldados
A curarse con gran prisa,
A aquel capitán, que ayer
Tuvo aquí su compañía.
Él no dice quién le hirió;
Pero si esto se averigua,
Será una gran causa.
CRESPO.   (Ap.) ¡ Cielos !
¡ Cuando vengarse imagina,
Me hace dueño de mi honor
La vara de la justicia !
¿ Cómo podré delinquir
Yo, si en esta hora misma
Me ponen a mí por juez,
Para que otros no delincan ?
Pero cosas como aquéstas

No se ven con tanta prisa.
(*Alto.*) En extremo agradecido
Estoy a quien solicita
Honrarme.

ESCRIBANO.   Vení a la casa
Del concejo, y recibida
La posesión de la vara,
Haréis en la causa misma
Averiguaciones.

CRESPO.   Vamos. —
A tu casa te retira.

ISABEL.   ¡ Duélase el cielo de mí !
Yo he de acompañarte.

CRESPO.   Hija,
Ya tenéis el padre alcalde:
Él os guardará justicia.   (*Vanse.*)
      Alojamiento del Capitán.

ESCENA V

EL CAPITÁN, *con banda, como herido;* EL SARGENTO

CAPITAN.   Pues la herida no era nada,
¿ Por qué me hicisteis volver
Aquí ?

SARGENTO.   ¿ Quién pudo saber
Lo que era antes de curada ?

CAPITAN.   Ya la cura prevenida,
Hemos de considerar
Que no es bien aventurar
Hoy la vida por la herida.

SARGENTO.   ¿ No fuera mucho peor
Que te hubieras desangrado ?

CAPITAN.   Puesto que ya estoy curado,
Detenernos será error.
Vámonos, antes que corra
Voz de que estamos aquí
¿ Están ahí los otros ?

SARGENTO.   Sí.

CAPITAN.   Pues la fuga nos socorra
               Del riesgo destos villanos;
               Que si se llega a saber
               Que estoy aquí, habrá de ser
               Fuerza apelar a las manos.

ESCENA VI

REBOLLEDO. — EL CAPITÁN, EL SARGENTO

REBOLLEDO.   La justicia aquí se ha entrado.

CAPITAN.   ¿Qué tiene que ver conmigo
               Justicia ordinaria?

REBOLLEDO.   Digo
               Que agora hasta aquí ha llegado.

CAPITAN.   Nada me puede a mí estar
               Mejor: llegando a saber
               Que estoy aquí, y no temer
               A la gente del lugar;
               Que la justicia, es forzoso
               Remitirme en esta tierra
               A mi consejo de guerra:
               Con que, aunque el lance es penoso,
               Tengo mi seguridad.

REBOLLEDO.   Sin duda, se ha querellado
               El villano.

CAPITAN.   Eso he pensado.

ESCENA VII

CRESPO, EL ESCRIBANO, LABRADORES. — DICHOS

CRESPO. (Dentro.)

               Todas las puertas tomad,
               Y no me salga de aquí
               Soldado que aquí estuviere;

Y al que salirse quisiere,
Matadle.

CAPITAN.   Pues ¿cómo así
Entráis? *(Ap.)* Mas ¡ qué es lo que veo !

(Sale Pedro Crespo, con vara, y labradores.)

CRESPO.   ¿Cómo no ? A mi parecer,
La justicia ¿ ha menester
Más licencia, a lo que creo ?

CAPITAN.   ¿ La justicia ? Cuando vos
De ayer acá lo seáis
No tiene, si lo miráis,
Que ver conmigo.

CRESPO.   Por Dios,
Señor, que no os alteréis;
Que sólo a una diligencia
Vengo, con vuestra licencia,
Aquí, y que solo os quedéis
Importa.

CAPITAN. *(Al Sargento y a Rebolledo.)*
                    Salíos de aquí.

CRESPO. *(A los labradores.)*
        Salíos vosotros también.

            (Ap. al Escribano.)

Con esos soldados ten
Gran cuidado.

ESCRIBANO.   Harélo así.

*(Vanse los labradores, el Sargento, Rebolledo
            y el Escribano.)*

            ESCENA VIII

        CRESPO, EL CAPITÁN

CRESPO.   Ya que yo, como justicia,
Me valí de su respeto

Para obligaros a oírme,
La vara a esta parte dejo,
Y como un hombre no más
Deciros mis penas quiero.

(*Arrima la vara.*)

Y puesto que estamos solos,
Señor Don Álvaro, hablemos
Más claramente los dos,
Sin que tantos sentimientos
Como tienen encerrados
En las cárceles del pecho
Acierten a quebrantar
Las prisiones del silencio.
Yo soy un hombre de bien,
Que a escoger mi nacimiento,
No dejara (es Dios testigo)
Un escrúpulo, un defeto
En mí, que suplir pudiera
La ambición de mi deseo.
Siempre acá entre mis iguales
Me he tratado con respeto:
De mí hacen estimación
El cabildo y el concejo.
Tengo muy bastante hacienda,
Porque no hay, gracias al cielo,
Otro labrador más rico
En todos aquestos pueblos
De la comarca; mi hija
Se ha criado, a lo que pienso,
Con la mejor opinión,
Virtud y recogimiento
Del mundo: tal madre tuvo:
Téngala Dios en el cielo.
Bien pienso que bastará,
Señor, para abono desto,
El ser rico, y no haber quien
Me murmure; ser modesto,

Y no haber quien me baldone;
Y mayormente, viviendo
En un lugar corto, donde
Otra falta no tenemos
Más que saber unos de otros
Las faltas y los defetos,
Y ¡ pluguiera a Dios, señor,
Que se quedara en saberlos !
Si es muy hermosa mi hija,
Díganlo vuestros extremos . . .
Aunque pudiera, al decirlo,
Con mayores sentimientos
Llorar. Señor, ya esto fué
Mi desdicha. — No apuremos
Toda la ponzoña al vaso;
Quédese algo al sufrimiento.
— No hemos de dejar, señor,
Salirse con todo al tiempo;
Algo hemos de hacer nosotros
Para encubrir sus defetos.
Éste, ya veis si es bien grande;
Pues aunque encubrirle quiero,
No puedo; que sabe Dios
Que a poder estar secreto
Y sepultado en mí mismo,
No viniera a lo que vengo;
Que todo esto remitiera,
Por no hablar, al sufrimiento.
Deseando pues remediar
Agravio tan manifiesto,
Buscar remedio a mi afrenta,
Es venganza, no es remedio;
Y vagando de uno en otro,
Uno solamente advierto,
Que a mí me está bien, y a vos,
No mal; y es, que desde luego
Os toméis toda mi hacienda,
Sin que para mi sustento

Ni el de mi hijo (a quien yo
Traeré a echar a los pies vuestros)
Reserve un maravedí,
Sino quedarnos pidiendo
Limosna, cuando no haya
Otro camino, otro medio
Con que poder sustentarnos.
Y si queréis desde luego
Poner una S y un clavo
Hoy a los dos y vendernos,
Será aquesta cantidad
Más del dote que os ofrezco.
Restaurad una opinión
Que habéis quitado. No creo
Que desluzcáis vuestro honor,
Porque los merecimientos
Que vuestros hijos, señor,
Perdieren por ser mis nietos,
Ganarán con más ventaja,
Señor, por ser hijos vuestros.
En Castilla, el refrán dice
Que el caballo (y es lo cierto)
Lleva la silla. — Mirad   *(De rodillas.)*
Que a vuestros pies os lo ruego
De rodillas, y llorando
Sobre estas canas, que el pecho,
Viendo nieve y agua, piensa
Que se me están derritiendo.
¿Qué os pido? Un honor os pido,
Que me quitasteis vos mesmo;
Y con ser mío, parece,
Según os le estoy pidiendo
Con humildad, que no es mío
Lo que os pido, sino vuestro.
Mirad que puedo tomarle
Por mis manos, y no quiero,
Sino que vos me le deis.

CAPITAN. Ya me falta el sufrimiento.
    Viejo cansado y prolijo,
    Agradeced que no os doy
    La muerte a mis manos hoy,
    Por vos y por vuestro hijo;
    Porque quiero que debáis
    No andar con vos más cruel,
    A la beldad de Isabel.
    Si vengar solicitáis
    Por armas vuestra opinión,
    Poco tengo que temer;
    Si por justicia ha de ser,
    No tenéis jurisdición.

CRESPO. ¿ Que, en fin, no os mueve mi llanto ?

CAPITAN. Llantos no se han de creer
    De viejo, niño y mujer.

CRESPO. ¡ Que no pueda dolor tanto
    Mereceros un consuelo !

CAPITAN. ¿ Qué más consuelo queréis,
    Pues con la vida volvéis ?

CRESPO. Mirad que echado en el suelo,
    Mi honor a voces os pido.

CAPITAN. ¡ Qué enfado !

CRESPO.   Mirad que soy
    Alcalde en Zalamea hoy.

CAPITAN. Sobre mí no habéis tenido
    Jurisdición: el consejo
    De guerra enviará por mí.

CRESPO. ¿ En eso os resolvéis ?

CAPITAN.   Sí,
    Caduco y cansado viejo.

CRESPO. ¿ No hay remedio ?

CAPITAN.   El de callar
    Es el mejor para vos.

CRESPO. ¿ No otro ?

CAPITAN.   No.

CRESPO.   Juro a Dios,
Que me lo habéis de pagar. —
¡ Hola !   (*Levántase y toma la vara.*)

ESCENA IX

LABRADORES. — CRESPO, EL CAPITÁN

ESCRIBANO. (*Dentro.*) ¡ Señor !
CAPITAN. (*Ap.*)   ¿ Qué querrán
Estos villanos hacer ?

          (*Salen los labradores.*)

ESCRIBANO. ¿ Qué es lo que manda ?
CRESPO.   Prender
Mando al señor Capitán.
CAPITAN. ¡ Buenos son vuestros extremos !
Con un hombre como yo,
Y en servicio del Rey, no
Se puede hacer.
CRESPO.   Probaremos.
De aquí, si no es preso o muerto,
No saldréis.
CAPITAN.   Yo os apercibo
Que soy un capitán vivo.
CRESPO. ¿ Soy yo acaso alcalde muerto ?
Daos al instante a prisión.
CAPITAN. No me puedo defender:
Fuerza es dejarme prender.
Al Rey desta sinrazón
Me quejaré
CRESPO.   Yo también
De esotra: — y aun bien que está
Cerca de aquí, y nos oirá
A los dos. — Dejar es bien
Esa espada.
CAPITAN.   No es acción
Que . . .

CRESPO.   ¿ Cómo no, si vais preso ?
CAPITAN.   Tratad con respeto . . .
CRESPO.   Eso
              Está muy puesto en razón.
              Con respeto le llevad
              A las casas, en efeto,
              Del concejo; y con respeto
              Un par de grillos le echad
              Y una cadena; y tened,
              Con respeto, gran cuidado
              Que no hable a ningún soldado;
              Y a los dos también poned
              En la cárcel; que es razón,
              Y aparte, porque después,
              Con respeto, a todos tres
              Les tomen la confesión.
              Y aquí para entre los dos,
              Si hallo harto paño, en efeto,
              Con muchísimo respeto
              Os he de ahorcar, juro a Dios.
CAPITAN.   ¡ Ha villanos con poder !

        (Vanse los labradores con el Capitán.)

ESCENA X

Rebolledo, la Chispa, el Escribano. — Crespo

ESCRIBANO.   Este paje, este soldado
              Son a los que mi cuidado
              Sólo ha podido prender;
              Que otro se puso en huída.
CRESPO.   Éste el pícaro es que canta:
              Con un paso de garganta
              No ha de hacer otro en su vida.
REBOLLEDO.   ¿ Pues qué delito es, señor,
              El cantar ?
CRESPO.   Que es virtud siento,
              Y tanto, que un instrumento

Tengo en que cantéis mejor.
Resolveos a decir . . .

REBOLLEDO. ¿ Qué ?

CRESPO. Cuanto anoche pasó.

REBOLLEDO. Tu hija mejor que yo
Lo sabe.

CRESPO. O has de morir.

CHISPA. *(Ap. a él.)*
Rebolledo, determina
Negarlo punto por punto:
Serás, si niegas, asunto
Para una jacarandina
Que cantaré.

CRESPO. A vos después
¿ Quién otra os ha de cantar ?

CHISPA. A mí no me pueden dar
Tormento.

CRESPO. Sepamos, pues,
¿ Por qué ?

CHISPA. Esto es cosa asentada
Y que no hay ley que tal mande.

CRESPO. ¿ Qué causa tenéis ?

CHISPA. Bien grande.

CRESPO. Decid, ¿ cuál ?

CHISPA. Estoy preñada.

CRESPO. ¿ Hay cosa más atrevida ?
Más la cólera me inquieta.
¿ No sois paje de jineta ?

CHISPA. No, señor, sino de brida.

CRESPO. Resolveos a decir
Vuestros dichos.

CHISPA. Sí diremos
Y aun más de lo que sabemos;
Que peor será morir.

CRESPO. Eso excusará a los dos
Del tormento.

CHISPA.   Si es así,
Pues para cantar nací,
He de cantar, vive Dios.

    (*Canta.*)   *Tormento me quieren dar.*

REBOLLEDO. (*Canta.*)   ¿ *Y qué quieren darme a mí* ?
CRESPO.   ¿ Qué hacéis ?
CHISPA.   Templar desde aquí,
Pues que vamos a cantar.   (*Vanse.*)

Sala en casa de Crespo.

ESCENA XI

JUAN

Desde que al traidor herí
En el monte, desde que
Riñendo con él, porque,
Llegaron tantos, volví
La espalda, el monte he corrido,
La espesura he penetrado,
Y a mi hermana no he encontrado.
En efeto, me he atrevido
A venirme hasta el lugar
Y entrar dentro de mi casa,
Donde todo lo que pasa
A mi padre he de contar.
Veré lo que me aconseja
Que haga ¡ cielos ! en favor
De mi vida y de mi honor.

ESCENA XII

INÉS, ISABEL, *muy triste.* — JUAN

INES.   Tanto sentimiento deja;
Que vivir tan afligida,
No es vivir, matarte es.

ISABEL.	¿ Pues quién te ha dicho ¡ ay Inés !
	Que no aborrezco la vida ?
JUAN.	Diré a mi padre . . . (*Ap.* ¡ Ay de mí !
	¿ No es ésta Isabel ? Es llano.
	Pues ¿qué espero ?) (*Saca la daga.*)
INÉS.	¡ Primo !
ISABEL.	¡ Hermano !
	¿ Qué intentas ?
JUAN.	Vengar así
	La ocasión en que hoy has puesto
	Mi vida y mi honor.
ISABEL.	Advierte . . .
JUAN.	¡ Tengo de darte la muerte,
	Viven los cielos !

ESCENA XIII

CRESPO, LABRADORES. — DICHOS

CRESPO.	¿ Qué es esto ?
JUAN.	Es satisfacer, señor,
	Una injuria, y es vengar
	Una ofensa y castigar . . .
CRESPO.	Basta, basta; que es error
	Que os atreváis a venir . . .
JUAN.	¿ Qué es lo que mirando estoy ?
	(*Viendo la vara.*)
CRESPO.	Delante así de mí hoy,
	Acabando ahora de herir
	En el monte un capitán.
JUAN.	Señor, si le hice esa ofensa,
	Que fué en honrada defensa,
	De tu honor . . .
CRESPO.	Ea, basta, Juan. —
	Hola, llevadle también
	Preso.

JUAN.   ¿ A tu hijo, señor,
Tratas con tanto rigor ?

CRESPO.   Y aun a mi padre también
Con tal rigor le tratara.
(*Ap.*   Aquesto es asegurar
Su vida, y han de pensar
Que es la justicia más rara
Del mundo.)

JUAN.   Escucha por qué,
Habiendo un traidor herido,
A mi hermana he pretendido
Matar también.

CRESPO.   Ya lo sé;
Pero no basta sabello
Yo como yo; que ha de ser
Como alcalde, y he de hacer
Información sobre ello.
Y hasta que conste qué culpa
Te resulta del proceso,
Tengo de tenerte preso.
(*Ap.*   Yo le hallaré la disculpa.)

JUAN.   Nadie entender solicita
Tu fin, pues sin honra ya,
Prendes a quien te la da,
Guardando a quien te la quita.

(*Llévanle preso.*)

ESCENA XIV

CRESPO, ISABEL, INÉS

CRESPO.   Isabel, entra a firmar
Esta querella que has dado
Contra aquél que te ha injuriado.

ISABEL.   ¡ Tú, que quisiste ocultar
Nuestra ofensa eres agora
Quien más trata publicarla !

Pues no consigues vengarla.
Consigue el callarla agora.

CRESPO. No: ya que como quisiera
Me quita esta obligación
Satisfacer mi opinión,
Ha de ser desta manera.   *(Vase Isabel.)*
Inés, pon ahí esa vara;
Pues que por bien no ha querido
Ver el caso concluido
Querrá por mal.   *(Vase Inés.)*

ESCENA XV

DON LOPE, SOLDADOS. — CRESPO

DON LOPE. *(Dentro.)*   Pára, pára.

CRESPO. ¿ Qué es aquesto ?   ¿ Quién, quién hoy
Se apea en mi casa así ?
Pero ¿quién se ha entrado aquí ?
(Salen Don Lope y soldados.)

DON LOPE. ¡ Oh Pedro Crespo ¡   Yo soy;
Que volviendo a este lugar
De la mitad del camino
(Donde me trae, imagino,
Un grandísimo pesar),
No era bien ir a apearme
A otra parte, siendo vos
Tan mi amigo.

CRESPO.   Guárdeos Dios;
Que síempre tratáis de honrarme.

DON LOPE. Vuestro hijo no ha parecido
Por allá.

CRESPO.   Presto sabréis
La ocasión: la que tenéis,
Señor, de haberos venido,
Me haced merced de contar;
Que venís mortal, señor.

DON LOPE.   La desvergüenza es mayor
Que se puede imaginar.
Es el mayor desatino
Que hombre ninguno intentó.
Un soldado me alcanzó
Y me dijo en el camino . . .
— Que estoy perdido, os confieso,
De cólera.

CRESPO.   Proseguí.

DON LOPE.   Que un alcaldillo de aquí
Al Capitán tiene preso. —
Y ¡ voto a Dios ! no he sentido
En toda aquesta jornada
Esta pierna excomulgada,
Sino es hoy, que me ha impedido
El no haber antes llegado
Donde el castigo le dé.
¡ Voto a Jesucristo, que
Al grande desvergonzado
A palos le he de matar !

CRESPO.   Pues habéis venido en balde,
Porque pienso que el alcalde
No se los dejará dar.

DON LOPE.   Pues dárselos, sin que deje
Dárselos.

CRESPO.   Malo lo veo;
Ni que haya en el mundo creo
Quien tan mal os aconseje.
¿ Sabéis por qué le prendió ?

DON LOPE.   No; más sea lo que fuere,
Justicia la parte espere
De mí; que tambien sé yo
Degollar, si es necesario.

CRESPO.   Vos no debéis de alcanzar,
Señor, lo que en un lugar
Es un alcalde ordinario.

DON LOPE.   ¿ Será más de un villanote ?

CRESPO.   Un villanote será,
           Que si cabezudo da
           En que ha de darle garrote,
           Par Dios, se salga con ello.

DON LOPE. No se saldrá tal, par Dios;
           Y si por ventura vos,
           Si sale o no, queréis vello,
           Decidme dó vive o no.

CRESPO.   Bien cerca vive de aquí.

DON LOPE. Pues a decirme vení
           Quién es el alcalde.

CRESPO.   Yo.

DON LOPE. ¡ Voto a Dios, que lo sospecho ! . . .

CRESPO.   ¡ Voto a Dios, como os lo he dicho !

DON LOPE. Pues, Crespo, lo dicho dicho.

CRESPO.   Pues, señor, lo hecho hecho.

DON LOPE. Yo por el preso he venido,
           Y a castigar este exceso.

CRESPO.   Yo acá le tengo preso
           Por lo que acá ha sucedido.

DON LOPE. ¿ Vos sabéis que a servir pasa
           Al Rey, y soy su juez yo ?

CRESPO.   ¿ Vos sabéis que me robó
           A mi hija de mi casa ?

DON LOPE. ¿ Vos sabéis que mi valor
           Dueño desta causa ha sido ?

CRESPO.   ¿ Vos sabéis cómo atrevido
           Robó en un monte mi honor ?

DON LOPE. ¿ Vos sabéis cuánto os prefiere
           El cargo que he gobernado ?

CRESPO.   ¿ Vos sabéis que le he rogado
           Con la paz y no la quiere ?

DON LOPE. Que os entráis, es bien se arguya,
           En otra jurisdición.

CRESPO.   Él se me entró en mi opinión,
           Sin ser jurisdición suya.

DON LOPE. Yo sabré os satisfacer,
           Obligándome a la paga.

CRESPO.	Jamas pedí a nadie que haga
	Lo que yo me puedo hacer.
DON LOPE.	Yo me he de llevar el preso.
	Yo estoy en ello empeñado.
CRESPO.	Yo por acá he sustanciado
	El proceso.
DON LOPE.	¿ Qué es proceso ?
CRESPO.	Unos pliegos de papel
	Que voy juntando, en razón
	De hacer la averiguación
	De la causa.
DON LOPE.	Iré por él
	A la cárcel.
CRESPO.	No embarazo
	Que vais: sólo se repare,
	Que hay orden, que al que llegare
	Le den un arcabuzazo.
DON LOPE.	Como a esas balas estoy
	Enseñado yo a esperar.
	(Mas no se ha de aventurar
	Nada en esta acción de hoy.)
	Hola, soldado, id volando,
	Y a todas las compañías
	Que alojadas estos días
	Han estado y van marchando,
	Decid que bien ordenadas
	Lleguen aquí en escuadrones,
	Con balas en los cañones
	Y con las cuerdas caladas.
UN SOLDADO.	No fué menester llamar
	La gente; que habiendo oído
	Aquesto que ha sucedido,
	Se han entrado en el lugar.
DON LOPE.	Pues voto a Dios, que he de ver
	Si me dan el preso o no.
CRESPO.	Pues voto a Dios, que antes yo
	Haré lo que se ha de hacer. (Vanse.)

Sala de la cárcel

ESCENA XVI

Don Lope, el Escribano, Soldados,
Crespo, *todos dentro* (Suenan cajas.)

DON LOPE.	Ésta es la cárcel, soldados,
	Adonde está el Capitán:
	Si no os le dan, al momento
	Poned fuego y la abrasad,
	Y si se pone en defensa
	El lugar, todo el lugar.
ESCRIBANO.	Ya, aunque rompan la cárcel,
	No le darán libertad.
SOLDADOS.	Mueran aquestos villanos.
CRESPO.	¿ Que mueran ? Pues ¿ qué ? ¿ no hay más ?
DON LOPE.	Socorro les ha venido.
	Romped la cárcel: llegad,
	Romped la puerta.

ESCENA XVII

Salen los Soldados *y* Don Lope *por un lado; y por
otro* el Rey, Crespo, Labradores *y*
Acompanamiento

REY.	¿ Qué es esto ?
	Pues ¡ desta manera estáis
	Viniendo yo !
DON LOPE.	Ésta es, señor
	La mayor temeridad
	De un villano, que vió el mundo;
	Y, vive Dios, que a no entrar
	En el lugar tan aprisa,
	Señor, vuestra Majestad,
	Que había de hallar luminarias
	Puestas por todo el lugar.

REY.   ¿ Qué ha sucedido ?

DON LOPE.   Un alcalde
                Ha prendido un capitán,
                Y viniendo yo por él,
                No le quieren entregar.

REY.   ¿ Quién es el alcalde ?

CRESPO.   Yo.

REY.   ¿ Y qué disculpa me dais ?

CRESPO.   Este proceso, en que bien
                Probado el delito está,
                Digno de muerte, por ser
                Una doncella robar,
                Forzarla en un despoblado,
                Y no quererse casar
                Con ella, habiendo su padre
                Rogádole con la paz.

DON LOPE.   Éste es el alcalde, y es
                Su padre.

CRESPO.   No importa en tal
                Caso, porque si un extraño
                Se viniera a querellar,
                ¿ No había de hacer justicia ?
                Sí: pues ¿ qué más se me da
                Hacer por mi hija lo mismo
                Que hiciera por los demás ?
                Fuera de que, como he preso
                Un hijo mío, es verdad
                Que no escuchara a mi hija,
                Pues era la sangre igual . . .
                Mírese si está bien hecha
                La causa, miren si hay
                Quien diga que yo haya hecho
                En ella alguna maldad,
                Si he inducido algún testigo,
                Si está algo escrito demás
                De lo que he dicho, y entonces
                Me den muerte.

REY.   Bien está
Sustanciado; pero vos
No tenéis autoridad
De ejecutar la sentencia
Que toca a otro tribunal.
Allá hay justicia, y así
Remitid el preso.

CRESPO.   Mal
Podré, señor, remitirle.
Porque como por acá
No hay más que sola una audiencia,
Cualquier sentencia que hay,
La ejecuta ella, y así
Ésta ejecutada está.

REY.   ¿ Qué decís ?

CRESPO.   Si no creéis
Que es esto, señor, verdad,
Volved los ojos, y vedlo.
Aqueste es el Capitán.

*(Abren una puerta, y aparece dado garrote
en una silla el Capitán.)*

REY.   Pues ¿ cómo así os atrevisteis ? . . .

CRESPO.   Vos habéis dicho que está
Bien dada aquesta sentencia:
Luego esto no está hecho mal.

REY.   El consejo ¿ no supiera
La sentencia ejecutar ?

CRESPO.   Toda la justicia vuestra
Es sólo un cuerpo no más:
Si éste tiene muchas manos,
Decid, ¿ qué más se me da
Matar con aquésta un hombre,
Que estotra había de matar ?
Y ¿ qué importa errar lo menos,
Quien acertó lo demás ?

REY.   Pues ya que aquesto sea así,
¿ Por qué, como a capitán

> Y caballero, no hicisteis
> Degollarle ?

CRESPO.   ¿ Eso dudáis ?
> Señor, como los hidalgos
> Viven tan bien por acá,
> El verdugo que tenemos,
> No ha aprendido a degollar.
> Y esa es querella del muerto,
> Que toca a su autoridad,
> Y hasta que él mismo se queje,
> No les toca a los demás.

REY.   Don Lope, aquesto ya es hecho.
> Bien dada la muerte está;
> Que no importa errar lo menos,
> Quien acertó lo demás.
> Aquí no quede soldado
> Ninguno, y haced marchar
> Con brevedad; que me importa
> Llegar presto a Portugal. —
> Vos, por alcalde perpetuo
> De aquesta villa os quedad.

CRESPO.   Sólo vos a la justicia
> Tanto supierais honrar.

(Vase el Rey y el acompañamiento.)

DON LOPE.   Agradeced al buen tiempo
> Que llegó su majestad.

CRESPO.   Par Dios, aunque no llegara,
> No tenía remedio ya.

DON LOPE.   ¿ No fuera mejor hablarme,
> Dando el preso, y remediar
> El honor de vuestra hija ?

CRESPO.   Un convento tiene ya
> Elegido y tiene esposo,
> Que no mira en calidad.

DON LOPE.   Pues dadme los demás presos.

CRESPO.   Al momento los sacad.

              (*Vase el Escribano.*)

                    ESCENA XVIII

REBOLLEDO, LA CHISPA; SOLDADOS; *después,* JUAN. —
DON LOPE, CRESPO, SOLDADOS y LABRADORES

DON LOPE.   Vuestro hijo falta, porque
              Siendo mi soldado ya,
              No ha de quedar preso.
CRESPO.   Quiero
              También, señor, castigar
              El desacato que tuvo
              De herir a su capitán;
              Que aunque es verdad que su honor
              A esto le pudo obligar,
              De otra manera pudiera.
DON LOPE.   Pedro Crespo, bien está.
              Llamadle.
CRESPO.   Ya él está aquí.

                   (*Sale Juan.*)

JUAN.   Las plantas, señor, me dad;
              Que a ser vuestro esclavo iré.
REBOLLEDO.   Yo no pienso ya cantar
              En mi vida.
CHISPA.   Pues yo sí,
              Cuantas veces a mirar
              Llegue el pasado instrumento.
CRESPO.   Con que fin el autor da
              A esta historia verdadera:
              Los defetos perdonad.

         FIN DE «EL ALCALDE DE ZALAMEA»

EL MÁGICO PRODIGIOSO

EL MÁGICO PRODIGIOSO

PERSONAS

CIPRIANO, galán primero.
EL DEMONIO.
LELIO, galán segundo.
FLORO, galán tercero.
MOSCÓN ⎱ graciosos.
CLARÍN ⎰
EL GOBERNADOR DE ANTIOQUÍA.
LISANDRO, viejo.
JUSTINA.
LIVIA, criada.
CELIO ⎱ criados.
FABIO ⎰

El Mágico Prodigioso

JORNADA PRIMERA

Bosque cerca del mar. Se ven las torres de Antioquía,
próxima

ESCENA PRIMERA

Salen Cipriano, *vestido de estudiante;* Clarín *y* Moscón,
de gorrones, con unos libros

CIPRIANO. En la amena soledad
de aquesta apacible estancia,
bellísimo laberinto
de flores, rosas y plantas,
podéis dejarme, dejando
conmigo (que ellos me bastan
por compañía) los libros
que os mandé sacar de casa;
que yo, en tanto que Antioquía
celebra con fiestas tantas
la fábrica dese templo
que hoy a Júpiter consagra,
y su traslación, llevando
públicamente su estatua
adonde con más decoro
y honor esté colocada,
huyendo del gran bullicio
que hay en sus calles y plazas,
pasar estudiando quiero
la edad que al día le falta.
Idos los dos a Antioquía,
gozad de sus fiestas varias,

　　　　　　y volved por mí a este sitio
　　　　　　cuando el sol cayendo vaya
　　　　　　a sepultarse en las ondas,
　　　　　　que entre oscuras nubes pardas
　　　　　　al gran cadáver de oro
　　　　　　son monumentos de plata.
　　　　　　Aquí me hallaréis.

MOSCON.　　　　　　　　　　No puedo,
　　　　　　aunque tengo mucha gana
　　　　　　de ver las fiestas, dejar
　　　　　　de decir, antes que vaya
　　　　　　a verlas, señor, siquiera
　　　　　　cuatro o cinco mil palabras.
　　　　　　¿ Es posible que en un día
　　　　　　de tanto gusto, de tanta
　　　　　　festividad y contento,
　　　　　　con cuatro libros te salgas
　　　　　　al campo solo, volviendo
　　　　　　a su aplauso las espaldas ?

CLARIN.　　　Hace mi señor muy bien;
　　　　　　que no hay cosa más cansada
　　　　　　que un día de procesión
　　　　　　entre cofadres y danzas.

MOSCON.　　En fin, Clarín, y en principio,
　　　　　　viviendo con arte y maña,
　　　　　　eres un temporalazo
　　　　　　lisonjero, pues alabas
　　　　　　lo que hace, y nunca dices
　　　　　　lo que sientes.

CLARIN.　　　　　　　　　Tú te engañas
　　　　　　(que es el mentís más cortés
　　　　　　que se dice cara a cara),
　　　　　　que yo digo lo que siento.

CIPRIANO.　　Ya basta, Moscón; ya basta,
　　　　　　Clarín. ¡ Que siempre los dos
　　　　　　habéis con vuestra ignorancia
　　　　　　de estar porfiando, y tomando
　　　　　　uno de otro la contraria !

Idos de aquí, y (como digo)
me buscaréis cuando caiga
la noche, envolviendo en sombras
esta fábrica gallarda
del universo.

MOSCON.   ¿ Qué va,
que aunque defendido hayas
que es bueno no ver las fiestas,
que vas a verlas ?

CLARIN.   Es clara
consecuencia: nadie hace
lo que aconseja que hagan
los otros.

MOSCON.   (Ap.)   Por ver a Livia,
vestirme quisiera de alas. (Vase.)

CLARIN.   (Ap.) Aunque, si digo verdad,
Livia es la que me arrebata
los sentidos. Pues ya tienes
más de la mitad andada
del camino; llega, Livia,
al na, y sé, Livia, liviana. (Vase.)

ESCENA II

CIPRIANO.   Ya estoy solo, ya podré,
si tanto mi ingenio alcanza,
estudiar esta cuestión
que me trae suspensa el alma,
desde que en Plinio leí
con misteriosas palabras
la definición de Dios;
porque mi ingenio no halla
ese Dios en quien convengan
misterios ni señas tantas.
Esta verdad escondida
he de apurar.

ESCENA III

Sale EL DEMONIO, *de galán, y lee* CIPRIANO

DEMONIO.   *(Ap.)*   Aunque hagas
               más discursos, Cipriano,
               no has de llegar a alcanzarla,
               que yo te la esconderé.

CIPRIANO.   Ruido siento en estas ramas.
               ¿Quién va? ¿Quién es?

DEMONIO.   Caballero,
               un forastero es, que anda
               en este monte perdido
               desde toda esta mañana,
               tanto que rendido ya
               el caballo, en la esmeralda
               que es tapete destos montes,
               a un tiempo pace y descansa.
               A Antioquía es el camino
               a negocios de importancia;
               y apartándome de toda
               la gente que me acompaña,
               divertido en mis cuidados
               (caudal que a ninguno falta),
               perdí el camino y perdí
               criados y camaradas.

CIPRIANO.   Mucho me espanto de que
               tan a vista de las altas
               torres de Antioquía, así
               perdido andéis. No hay de cuantas
               veredas a aqueste monte
               o le línean o le pautan,
               una que a dar en sus muros,
               como en su centro, no vaya:
               por cualquiera que toméis,
               vais bien.

DEMONIO.   Ésta es la ignorancia,
               a la vista de las ciencias,
               no saber aprovecharlas.

Y supuesto que no es bien
que entre yo en ciudad extraña,
donde no soy conocido,
solo y preguntando, hasta
que la noche venza al día,
aquí estaré lo que falta;
que en el traje y en los libros
que os divierten y acompañan,
juzgo que debéis de ser
grande estudiante, y el alma
esta inclinación me lleva
de los que en estudios tratan. *(Siéntase.)*

CIPRIANO. ¿ Habéis estudiado ?

DEMONIO.   No;
pero sé lo que me basta
para no ser ignorante.

CIPRIANO. Pues ¿ qué ciencias sabéis ?

DEMONIO.   Hartas.

CIPRIANO. Aun estudiándose una
mucho tiempo, no se alcanza,
¿ y vos (¡ grande vanidad !)
sin estudiar sabéis tantas ?

DEMONIO. Sí, que de una patria soy
donde las ciencas más altas
sin estudiarse se saben.

CIPRIANO. ¡ Oh, quién fuera de esa patria !,
que acá, mientras más se estudia,
más se ignora.

DEMONIO.   Verdad tanta
es ésta, que sin estudios
tuve tan grande arrogancia
que a la cátedra de prima
me opuse, y pensé llevarla,
porque tuve muchos votos;
y aunque la perdí, me basta
haberlo intentado; que hay
pérdidas con alabanza.
Si no lo queréis creer,

                decid qué estudiáis, y vaya
                de argumento; que aunque no
                sé la opinión que os agrada,
                y ella sea la segura,
                yo tomaré la contraria.

CIPRIANO.   Mucho me huelgo de que
                a eso vuestro ingenio salga.
                Un lugar de Plinio es
                el que me trae con mil ansias
                de entenderle, por saber
                quién es el Dios de quien habla.

DEMONIO.   Ése es un lugar que dice.
                (bien me acuerdo) estas palabras:
                "Dios es una bondad suma,
                una esencia, una sustancia,
                todo vista, todo manos."

CIPRIANO.   Es verdad.

DEMONIO.   ¿ Qué repugnancia
                hallas en esto ?

CIPRIANO.   No hallar
                el Dios de quien Plinio trata;
                que si ha de ser bondad suma,
                aun a Júpiter le falta
                suma bondad, pues le vemos
                que es pecaminoso en tantas
                ocasiones: Dánae hable
                rendida, Europa robada.
                Pues ¿ cómo en suma bondad,
                cuyas acciones sagradas
                habían de ser divinas,
                caben pasiones humanas ?

DEMONIO.   Ésas son falsas historias
                en que las letras profanas
                con los nombres de los dioses
                entendieron disfrazada
                la moral filosofía.

CIPRIANO.   Esa respuesta no basta,
                pues el decoro de Dios

debiera ser tal, que osadas
no llegaran a su nombre
las culpas, aun siendo falsas.
Y apurando más el caso,
si suma bondad se llaman
los dioses, siempre es forzoso
que a querer lo mejor vayan;
pues ¿cómo unos quieren uno,
y otros otro? Esto se halla
en las dudosas respuestas
que suelen dar sus estatuas.
Porque no digáis después
que alegué letras profanas . . .
A dos ejércitos, dos
ídolos una batalla
aseguraron, y el uno
la perdió: ¿no es cosa clara
la consecuencia de que
dos voluntades contrarias
no pueden a un mismo fin
ir? Luego yendo encontradas,
es fuerza, si la una es buena,
que la otra ha de ser mala.
Mala voluntad en Dios
implica el imaginarla:
luego no hay suma bondad
en ellos, si unión les falta.

DEMONIO.   Niego la mayor, porque
aquesas respuestas dadas
así, convienen a fines
que nuestro ingenio no alcanza,
que es la providencia; y más
debió importar la batalla
al que la perdió el perderla,
que al que la ganó el ganarla.

CIPRIANO.   Concedo; pero debiera
aquel Dios, pues que no engañan
los dioses, no asegurar

la victoria; que bastaba
la pérdida permitir
allí, sin asegurarla.
Luego si Dios todo es vista,
cualquiera Dios viera clara
y distintamente el fin;
y al verle, no asegurara
el que no había de ser; luego
aunque sea deidad tanta,
distinta en personas, debe
en la menor circunstancia
ser una sola en esencia.

DEMONIO. Importó para esa causa
mover así los afectos
con su voz.

CIPRIANO.   Cuando importara
el moverlos, genios hay
(que buenos y malos llaman
todos los doctos), que son
unos espíritus que andan
entre nosotros, dictando
las obras buenas y malas,
argumento que asegura
la inmortalidad del alma;
y bien pudiera ese Dios,
con ellos, sin que llegara
a mostrar que mentir sabe,
mover afectos.

DEMONIO.   Repara
en que esas contrariedades
no implican al ser las sacras
deidades una, supuesto
que en las cosas de importancia
nunca disonaron. Bien
en la fábrica gallarda
del hombre se ve, pues fué
sólo un concepto al obrarla.

CIPRIANO.   Luego si ése fué uno sólo,
                 ése tiene más ventaja
                 a los otros; y si son
                 iguales, puesto que hallas
                 que se pueden oponer
                 (ésta no puedes negarla)
                 en algo, al hacer el hombre,
                 cuando el uno lo intentara,
                 pudiera decir el otro:
                 "No quiero yo que se haga."
                 Luego si Dios todo es manos,
                 cuando el uno le criara,
                 el otro le deshiciera.
                 Pues eran manos entrambas
                 iguales en el poder,
                 desiguales en la instancia,
                 ¿ quién venciera destos dos ?

DEMONIO.   Sobre imposibles y falsas
                 proposiciones, no hay
                 argumento. Di, ¿ qué sacas
                 deso ?

CIPRIANO.   Pensar que hay un Dios,
                 suma bondad, suma gracia,
                 todo vista, todo manos,
                 infalible, que no engaña,
                 superior, que no compite,
                 Dios a quien ninguno iguala,
                 un principio sin principio,
                 una esencia, una sustancia,
                 un poder y un querer sólo;
                 y cuando como éste haya
                 una, dos o más personas,
                 una deidad soberana
                 ha de ser sola en esencia,
                 causa de todas las causas.

DEMONIO.   ¿ Cómo te puedo negar (Levántase.)
                 una evidencia tan clara ?

CIPRIANO.   ¿ Tanto lo sentís ?

DEMONIO.   ¿ Quién deja
de sentir que otro le haga
competencia en el ingenio ?
Y aunque responder no falta,
dejo de hacerlo, porque
gente en este monte anda,
Y es hora de que prosiga
a la ciudad mi jornada.

CIPRIANO.   Id en paz.

DEMONIO.   Quedad en paz.
(Ap.) Pues tanto tu estudio alcanza,
yo haré que el estudio olvides,
suspendido en una rara
beldad. Pues tengo licencia
de perseguir con mi rabia
a Justina, sacaré
de un efecto dos venganzas. *(Vase.)*

CIPRIANO.   No vi hombre tan notable.
Mas pues mis criados tardan,
volver a repasar quiero
de tanta duda la causa.

(Vuelve a leer y salen LELIO *y* FLORO*)*

ESCENA IV

LELIO.   No pasemos adelante;
que estas peñas, estas ramas
tan intrincadas, que al mismo
sol le defienden la entrada,
sólo pueden ser testigos
de nuestro duelo.

FLORO.   La espada
sacad; que aquí son las obras,
si allá fueron las palabras.

LELIO.
Ya sé que en el campo, muda
la lengua de acero habla
desta suerte. (*Riñen.*)

CIPRIANO.
¿ Qué es aquesto ?
Lelio, tente; Floro, aparta;
que basta que esté yo en medio,
aunque esté en medio sin armas.

LELIO.
¿ De dónde, di, Cipriano,
a embarazar mi venganza
has salido ?

FLORO.
¿ Eres aborto
destos troncos y estas ramas ?

ESCENA V

Salen MOSCÓN *y* CLARÍN

MOSCON.
Corre, que con mi señor
han sido las cuchilladas.

CLARIN.
Para acercarme a estas cosas
no suelo yo correr nada;
mas para apartarme, sí.

LOS DOS.
Señor . . .

CIPRIANO.
No habléis más palabras. —
Pues ¿ qué es esto ? Dos amigos,
que por su sangre y su fama
hoy son de toda Antioquía
los ojos y la esperanza,
uno del gobernador
hijo, y otro de la clara
familia de los Colaltos,
¡ ansí aventuran y arrastran
dos vidas que pueden ser
de tanto honor a su patria !

LELIO.
Cipriano, aunque el respeto
que debo por muchas causas
a tu persona, este instante
tiene suspensa mi espada,

no la tienes reducida
a la quietud de la vaina.
Tú sabes de ciencias más
que de duelos, y no alcanzas
que a dos nobles en el campo
no hay respeto que les haga
amigos, pues sólo es medio
morir uno en la demanda.

FLORO.

Lo mismo te digo, y ruego
que con tu gente te vayas,
pues que riñendo nos dejas
sin traición y sin ventaja.

CIPRIANO.

Aunque os parece que ignoro
por mi profesión las varias
leyes del duelo que estudia
el valor y la arrogancia,
os engañáis; que nací
con obligaciones tantas
como los dos, a saber
qué es honor y qué es infamia.
Y no el darme a los estudios
mis alientos acobarda;
que muchas veces se dieron
las manos, letras y armas.
Si el haber salido al campo
es del reñir circunstancia,
con haber reñido ya
esa calumnia se salva.
Y así, bien podéis decir
desta pendencia la causa:
que yo, si habiéndola oído,
reconociere al contarla
que alguno de los dos tiene
algo que se satisfaga,
de dejaros a los dos
solos, os doy la palabra.

LELIO.

Pues con esa condición
de que en sabiendo la causa

nos has de dejar reñir,
yo me prefiero a contarla.
Yo quiero a una dama bien,
y Floro quiere a esta dama:
¡ mira tú cómo podrás
convenirnos !, pues no hay traza
con que dos nobles celosos
den a partido sus ansias.

FLORO.
Yo quiero a esta dama, y quiero
que no se atreva a mirarla
ni aun el sol, y pues no hay
medio aquí, y que la palabra
nos has dado de dejarnos
reñir, a un lado te aparta.

CIPRIANO.
Esperad, que hay que saber
más. Decidme, ¿ es esta dama
a la esperanza posible,
o imposible a la esperanza ?

LELIO.
Tan principal es, tan noble,
que si el sol celos causara
a Floro, aun dél no podría
tenerlos con justa causa,
porque presumo que el sol
aun no se atreve a mirarla.

CIPRIANO.
¿ Casáraste tú con ella ?

FLORO.
Ahí está mi confianza.

CIPRIANO.
¿ Y tú ?

LELIO.
                ¡ Pluguiera a los cielos
que a tanta dicha llegara !,
que aunque es en extremo pobre,
la virtud por dote basta.

CIPRIANO.
Pues si a casaros con ella
aspiráis los dos, ¿ no es vana
acción, culpable e indigna,
querer antes disfamarla ?
¿ Qué dirá el mundo, si alguno
de los dos con ella casa,
después de haber muerto al otro

por ella? Que aunque no haya
ocasión para decillo,
decillo sin ella basta.
No digo yo que os sufráis
el servirla y festejarla
a un tiempo, porque no quiero
que de mí partido salga
tan cobarde; que el galán
que de sus celos pasara
primero la contingencia,
pasará después la infamia;
pero digo que sepáis
de cuál de los dos se agrada,
y luego . . .

LELIO.
                    Detente, espera;
que es acción cobarde y baja
ir a que la dama diga
a quién escoge la dama.
Pues ha de escogerme a mí
o a Floro. Si a mí, me agrava
más el empeño en que estoy,
pues es otro empeño que haya
quien quiera a la que me quiere.
Si a Floro escoge, la saña
de que a otro quiera quien quiero,
es mayor: luego excusada
acción es que ella lo diga,
pues con cualquier circunstancia
hemos en apelación
de volver a las espadas:
el querido por su honor,
y el otro por su venganza.

FLORO.
Confieso que esa opinión
recibida es y asentada,
mas con las damas que amores
elegir y dejar tratan;
y así, hoy pedírsela intento
a su padre. Y pues me basta,

habiendo al campo salido,
haber sacado la espada
(mayormente cuando hay
quien el reñir embaraza),
con satisfacción bastante
la vuelvo, Lelio, a la vaina.

LELIO.
En parte me ha convencido
tu razón; y aunque apurarla
pudiera, más quiero hacerme
de su parte, o cierta o falsa.
Hoy la pediré a su padre.

CIPRIANO.
Supuesto que aquesta dama
en que los dos la sirváis
ella no aventura nada,
pues que confesáis los dos
su virtud y su constancia,
decidme quién es; que yo,
pues que tengo mano tanta
en la ciudad, por los dos
quiero preferirme a hablarla,
para que esté prevenida
cuando a eso su padre vaya.

LELIO.
Dices bien.

CIPRIANO.
　　　　　¿Quién es?

FLORO.
　　　　　　　　　Justina,
de Lisandro hija.

CIPRIANO.
　　　　　　　Al nombrarla
he conocido cuán pocas
fueron vuestras alabanzas;
que es virtüosa y es noble.
Luego voy a visitarla.

FLORO.
(Ap.) El cielo en mi favor mueva
su condición siempre ingrata. (Vase.)

LELIO.
Corone amor, al nombrarme,
de laurel mis esperanzas. (Vase.)

CIPRIANO.
¡Oh, quiera el cielo que estorbe
escándalos y desgracias! (Vase.)

ESCENA VI

MOSCON.	¿Ha oído vuesa merced que nuestro amo va a la casa de Justina?
CLARIN.	Sí, señor. ¿Qué hay, que vaya o que no vaya?
MOSCON.	Hay que no tiene que hacer allá usarced.
CLARIN.	¿Por qué causa?
MOSCON.	Porque yo por Livia muero, que es de Justina criada, y no quiero que se atreva ni el mismo sol a mirarla.
CLARIN.	Basta, que no he de reñir en ningún tiempo por dama que ha de ser esposa mía.
MOSCON.	Aquesa opinión me agrada, y así es bien que diga ella quién la obliga, o quién la cansa. Vámonos allá los dos, y escoja.
CLARIN.	De buena gana, aunque ha de escogerte temo.
MOSCON.	¿Ya tienes deso confianza?
CLARIN.	Sí, que lo peor escogen siempre las Livias ingratas. (Vanse.)

En casa de Lisandro

ESCENA VII

Salen JUSTINA y LISANDRO

JUSTINA.	No me puedo consolar de haber hoy visto, señor, el torpe, el común error

con que todo ese lugar
templo consagra y altar
a una imagen que no pudo
ser deidad, pues que no dudo
que al fin, si algún testimonio
da de serlo, es el demonio,
que da aliento a un bronce mudo.

LISANDRO.   No fueras, bella Justina,
quien eres, si no lloraras,
sintieras y lamentaras
esa tragedia, esa ruina
que la religión divina
de Cristo padece hoy.

JUSTINA.   Es cierto, pues al fin soy
hija tuya, y no lo fuera
si llorando no estuviera
ansias que mirando estoy.

LISANDRO.   ¡ Ay, Justina !, no ha nacido
de ser tú mi hija, no,
que no soy tan feliz yo.
Mas, ¡ ay Dios !, ¿ cómo he rompido
secreto tan escondido ?
Afecto del alma fué.

JUSTINA.   ¿ Qué dices, señor ?
LISANDRO.   No sé.
Confuso estoy y turbado.

JUSTINA.   Muchas veces te he escuchado
lo que ahora te escuché,
    y nunca quise, señor,
a costa de un sufrimiento,
apurar tu sentimiento,
ni examinar mi dolor;
pero viendo que es error
que de entenderte no acabe,
aunque sea culpa grave;
que partas, señor, te pido,
tu secreto con mi oído,
ya que en tu pecho no cabe.

LISANDRO.   Justina, de un gran secreto
el efecto te callé,
la edad que tienes, porqué
siempre he tenido el efeto;
mas viéndote ya sujeto
capaz de ver y advertir,
y viéndome a mí que al ir
con este báculo dando
en la tierra, ir es llamando
a las puertas del morir,
no te tengo de dejar
con esta ignorancia, no,
porque no cumpliera yo
mi obligación con callar:
y así, atiende a mi pesar
tu placer.

JUSTINA.   Conmigo lucha
un temor.

LISANDRO.   Mi pena es mucha,
pero esto es ley y razón.

JUSTINA.   Señor, desta confusión
me rescata.

LISANDRO.   Pues escucha.
Yo soy, hermosa Justina,
Lisandro . . . No de que empiece
desde mi nombre te admires;
que aunque ya sabes que es éste,
por lo que se sigue al nombre
es justo que te le acuerde,
pues de mí no sabes más
que mi nombre solamente.
Lisandro soy, natural
de aquella ciudad que en siete
montes es hidra de piedra,
pues siete cabezas tiene;
de aquella que es silla hoy
del romano imperio, albergue
del cristiano a serlo, pues

Roma sólo lo merece.
En ella nací de humildes
padres, si es que nombre adquieren
de humildes los que dejaron
tantas virtudes por bienes.
Cristianos nacieron ambos,
venturosos descendientes
de algunos que con su sangre
rubricaron felizmente
las fatigas de la vida
con los triunfos de la muerte.
En la religión cristiana
crecí industriado de suerte,
que en su defensa daré
la vida una y muchas veces.
Joven era, cuando a Roma
llegó encubierto el prudente
Alejandro, papa nuestro,
que la apostólica sede
gobernaba, sin tener
donde tenerla pudiese;
que como la tiranía
de los gentiles crueles
su sed apaga con sangre
de la que a mártires vierte,
hoy la primitiva Iglesia
ocultos sus hijos tiene;
no porque el morir rehusan,
no porque el martirio temen,
sino porque de una vez
no acabe el rigor rebelde
con todos, y destruída
la Iglesia, en ella no quede
quien catequice al gentil,
quien le predique y le enseñe.
Á Roma, pues, Alejandro
llegó; y yendo oculto a verle,
recibí su bendición,

y de su mano clemente
todos los órdenes sacros,
a cuya dignidad tiene
envidia el ángel, pues sólo
el hombre serlo merece.
Mandóme Alejandro, pues,
que a Antioquía me partiese
a predicar de secreto
la ley de Cristo. Obediente,
peregrinando a merced
de tantas diversas gentes,
a Antioquía vine; y cuando
desde aquesos eminentes
montes llegué a descubrir
sus dorados chapiteles,
el sol me faltó, y llevando
tras sí el día, por hacerme
compañía me dejó
a que le sostituyesen
las estrellas, como en prendas
de que presto vendría a verme.
Con el sol perdí el camino,
y vagando tristemente
en lo intrincado del monte,
me hallé en un oculto albergue,
donde los trémulos rayos
de tanta antorcha viviente,
aun no se dejaban ya
ver, porque confusamente
servían de nubes pardas
las que fueron hojas verdes.
Aquí, dispuesto a esperar
que otra vez el sol saliese,
dando a la imaginación
la jurisdicción que tiene,
con las soledades hice
mil discursos diferentes.
Desta suerte, pues, estaba,

cuando, de un suspiro leve
el eco mal informado,
la mitad al dueño vuelve.
Retraje al oído todos
mis sentidos juntamente,
y volví a oír más distinto
aquel aliento y más débil,
mudo idioma de los tristes,
pues con él sólo se entienden.
De mujer era el gemido,
a cuyo aliento sucede
la voz de un hombre, que a media
voz decía desta suerte:
"Primer mancha de la sangre
más noble, a mis manos muere,
antes que a morir a manos
de infames verdugos llegues."
La infeliz mujer decía
en medias razones breves:
"Duélete tú de tu sangre,
ya que de mí no te dueles."
Llegar pretendí yo entonces
a estorbar rigor tan fuerte;
mas no pude, porque al punto
las voces se desvanecen,
y vi al hombre en un caballo,
que entre los troncos se pierde.
Imán fue de mi piedad
la voz, que ya balbuciente
y desmayada decía,
gimiendo y llorando a veces:
"Mártir muero, pues que muero
por cristiana y inocente";
y siguiendo de la voz
el norte, en espacio breve
llegué donde una mujer,
que apenas dejaba verse,
estaba a brazo partido

luchando ya con la muerte.
Apenas me sintió, cuando
dijo, esforzándose: "Vuelve,
sangriento homicida mío;
ni aun este instante me dejes
de vida. — No soy (le dije)
sino quien acaso viene,
quizá del cielo guiado,
a valeros en tan fuerte
ocasión. — Ya que imposible
es (dijo) el favor que ofrece
vuestra piedad a mi vida,
pues que por puntos fallece,
lógrese en esa infelice
en quien hoy el cielo quiere,
naciendo de mi sepulcro,
que mis desdichas herede."
Y espirando, vi . . .

ESCENA VIII

Sale LIVIA

LIVIA.   Señor,
el mercader a quien debes
aquel dinero, a buscarte
hoy con la justicia viene.
Que no estás en casa, dije:
por esotra puerta vete.

JUSTINA.   ¡ Cuánto siento que a estorbarte
en aquesta ocasión llegue,
que estaba a tu relación
vida, alma y razón pendientes !
Mas vete ahora, señor:
la justicia no te encuentre.

LISANDRO.   ¡ Ay de mí ! ¡ Qué de desaires
la necesidad padece ! *(Vase.)*

JUSTINA.	Sin duda entran hasta aquí, porque siento ahí fuera gente.
LIVIA.	No son ellos; Ciprïano es.
JUSTINA.	Pues ¿ qué es lo que pretende Ciprïano aquí ?

ESCENA IX

Salen CIPRIANO, CLARÍN *y* MOSCÓN

CIPRIANO.   Serviros
mi deseo es solamente.
Viendo salir la justicia
de vuestra casa, se atreve
a entrar aquí mi amistad,
por lo que a Lisandro debe,
a sólo saber (*Ap.* Turbado
estoy.) si acaso (*Ap.* ¡ Qué fuerte
hielo discurre mis venas !)
en algo serviros puede
mi deseo. (*Ap.* ¡ Qué mal dije !,
que no es hielo, fuego es éste.)

JUSTINA. Guárdeos el cielo mil años;
que en mayores intereses
habéis de honrar a mi padre
con vuestros favores.

CIPRIANO.   Siempre
estaré para serviros.
(*Ap.* ¿ Qué me turba y enmudece ?)

JUSTINA. Él ahora no está en casa.

CIPRIANO. Luego bien, señora, puede
mi voz decir la ocasión
que aquí me trae, claramente;
que no es la que habéis oído
la que sola a entrar me mueve
a veros.

JUSTINA.   Pues ¿ qué mandáis ?

CIPRIANO.   Que me oigáis. Yo seré breve.
      Hermosísima Justina,
en quien hoy ostenta ufana
la naturaleza humana
tantas señas de divina:
vuestra quietud determina
hallar mi deseo este día;
pero ved que es tiranía,
como el efecto lo muestra,
que os dé yo la quietud vuestra,
y vos me quitéis la mía.

      Lelio, de su amor movido
(¡ no vi amor más disculpado !);
Floro, de su amor llevado
(¡ no vi error más permitido !),
el uno y otro han querido
por vos matarse los dos:
por vos lo he estorbado (¡ ay, Dios !);
pero ved que es error fuerte
que yo quite a otros la muerte
para que me la deis vos.

      Por excusar el que hubiera
escándalo en el lugar,
de su parte os vengo a hablar
(¡ oh, nunca a hablaros viniera !),
porque vuestra elección fuera
árbitro de sus recelos,
y jüez de sus desvelos;
pero ved que es gran rigor
que yo componga su amor
y vos dispongáis mis celos.

      Hablaros, pues, ofrecí,
señora, para que vos
escogierais de los dos
cuál queréis (¡ infeliz fuí !)
que a vuestro padre (¡ ay de mí !)
os pida. Aquesto pretendo;
pero ved (estoy muriendo)

que es injusto (estoy temblando)
que esté por ellos hablando
y que esté por mí sintiendo.

JUSTINA.   De tal manera he extrañado
vuestra vil proposición,
que el discurso y la razón,
en un punto me han faltado.
Ni a Floro ocasión he dado
ni a Lelio, para que así
vos os atreváis aquí:
y bien pudiérades vos
escarmentar en los dos
del rigor que vive en mí.

CIPRIANO.   Si yo, por haber querido
vos a alguno, pretendiera
vuestro favor, mi amor fuera
necio, infame y mal nacido.
Antes por haber vos sido
firme roca a tantos mares,
os quiero, y en los pesares
no escarmiento de los dos;
que yo no quiero que vos
me queráis por ejemplares.
          ¿ Qué diré a Lelio ?

JUSTINA.   Que crea
los costosos desengaños
de un amor de tantos años.

CIPRIANO.   ¿ Y a Floro ?

JUSTINA.   Que no me vea.

CIPRIANO.   ¿ Y a mí ?

JUSTINA.   Que osado no sea
vuestro amor.

CIPRIANO.   ¿ Cómo, si es dios ?

JUSTINA.   ¿ Será más dios para vos
que para los dos lo ha sido ?

CIPRIANO.   Sí.

JUSTINA.   Pues ya yo he respondido
              a Lelio, a Floro y a vos.

                                (Vanse los dos.)

ESCENA X

CLARIN.   Señora Livia.
MOSCON.   Señora
              Livia.
CLARIN.   Aquí estamos los dos.
LIVIA.   Pues ¿ qué queréis vos ? Y vos
              ¿ qué queréis ?
CLARIN.   Que usted ahora,
              por si por dicha lo ignora,
              sepa que bien la queremos.
              Para matarnos nos vemos;
              pero atentos a no dar
              escándalo en el lugar,
              que uno escoja pretendemos.
LIVIA.   Es tan grande el sentimiento
              de que así me hayáis hablado,
              que mi dolor me ha dejado
              sin razón ni entendimiento.
              ¡ Que uno escoja ! ¿Hay sufrimiento
              en lance tan importuno ?
              ¡ Uno yo ! ¿ Pues oportuno
              no es para tener (¡ ay, Dios !)
              este ingenio a un tiempo dos
              que queréis que escoja uno ?
CLARIN.   ¿ Dos a un tiempo, cómo quieres ?
              ¿ No te embarazarán dos ?
LIVIA.   No, que de dos en dos los
              digerimos las mujeres.
MOSCON.   ¿ De qué suerte te prefieres
              a eso ?
LIVIA.   ¡ Qué necia porfía !
              Queriéndôs la lealtad mía . . .

MOSCON.   ¿ Cómo ?

LIVIA.   *Alternative.*

CLARIN.   Pues
           ¿ qué es *alternative* ?

LIVIA.   Es
           querer a cada uno un día. *(Vase.)*

MOSCON.   Pues yo escojo este primero.

CLARIN.   Mayor será el de mañana:
           yo le doy de buena gana.

MOSCON.   Livia, en fin, por quien yo muero,
           hoy me quiere, y hoy la quiero.
           Bien es que tal dicha goce.

CLARIN.   Oye usted, ya me conoce.

MOSCON.   ¿ Por qué lo dice ? Concluya.

CLARIN.   Porque sepa que no es suya,
           en dando que den las doce. *(Vase.)*

En la calle en que vive Justina

ESCENA XI

Salen FLORO *y* LELIO, *de noche, cada uno por su puerta*

LELIO.   *(Para sí.)* Apenas la oscura noche
           extendió su manto negro,
           cuando ya a adorar la esfera
           de aquestos umbrales vengo;
           que aunque hoy por Cipriano
           tengo suspenso el acero,
           no el afecto; que no pueden
           suspenderse los afectos.

FLORO.   *(Para sí.)* Aquí me ha de hallar el alba;
           que en otra parte violento
           estoy, porque en fin, en otro,
           estoy fuera de mi centro.
           ¡ Quiera amor que llegue el día
           y la respuesta que espero

con Ciprïano, tocando
o la ventura o el riesgo !

LELIO.   *(Ap.)* Ruido en aquella ventana
he sentido.

FLORO.   *(Ap.)*   Ruido han hecho
en aquel balcón.

EL DEMONIO, *al balcón*

ESCENA XII

LELIO.   *(Ap.)*   Un bulto
sale dél, a lo que puedo
distinguir.

FLORO.   *(Ap.)*   Gente se asoma
a él que entre sombras veo.

DEMONIO.   *(Para sí.)* Para las persecuciones
que hacer en Justina intento,
a disfamar su virtud
desta manera me atrevo.

                              (Baja por una escala.)

LELIO.   *(Ap.)* Mas ¡ ay, infeliz ! ¡ Qué miro !

FLORO.   *(Ap.)* Pero ¡ ay, infeliz ! ¡ Qué veo !

LELIO.   *(Ap.)* El negro bulto se arroja
ya desde el balcón al suelo.

FLORO.   *(Ap.)* Un hombre es, que de su casa
sale. No me matéis, celos,
hasta que sepa quién es.

LELIO.   *(Ap.)* Reconocerle pretendo,
y averiguar de una vez
quién logra el bien que yo pierdo.

              *(Llega al suelo, y uno y otro con las
              espadas desnudas llegan a él; él se hunde
              y quedan los dos afirmados.)*

DEMONIO.   *(Para sí.)* No sólo he de conseguir
hoy de Justina el desprecio,
sino rencores y muertes
ya llegan: ábrase el centro,
dejando esta confusión
a sus ojos. *(Húndese ahora.)*

ESCENA XIII

LELIO.   Caballero.
quienquiera que seáis, a mí
me ha importado conoceros;
y a todo trance restado
con esta demanda vengo.
Decid quién sois.

FLORO.   Si os obliga
a tan valiente despecho
saber en quién ha caído
vuestro amoroso secreto,
más que a vos el conocerme,
me importa a mí el conoceros;
que en vos es curiosidad,
y en mí más, porque son celos.
¡ Vive Dios, que he de saber
quién es de la casa dueño,
y quién a estas horas gana,
por ese balcón saliendo,
lo que yo pierdo llorando
a estas rejas !

LELIO.   ¡ Bueno es eso,
querer deslumbrar ahora
la luz de mis sentimientos,
atribuyéndome a mí
delito que sólo es vuestro !
Quién sois tengo de saber,
y dar muerte a quien me ha muerto
de celos, saliendo ahora
por ese balcón.

FLORO.   ¡ Qué necio
recato, encubrirse, cuando
está el amor descubriendo !

LELIO.   En vano la lengua apura
lo que mejor el acero
hará.

FLORO.   Con él os respondo.

LELIO.   Quién ha sido, saber tengo, *(Riñen.)*
hoy el admitido amante
de Justina.

FLORO.   Ése es mi intento.
Moriré, o sabré quién sois.

ESCENA XIV

Salen CIPRIANO, MOSCÓN *y* CLARÍN

CIPRIANO.   Caballeros, deteneos,
si a aquesto puede obligaros
haber llegado a este tiempo.

FLORO.   Nada me puede obligar
a que deje el fin que intento.

CIPRIANO.   ¿ Floro ?

FLORO.   Sí, que con la espada
en la mano, nunca niego
mi nombre.

CIPRIANO.   A tu lado estoy;
muera quien te ofende.

LELIO.   Menos
que temer me daréis todos,
que él me daba solo.

CIPRIANO.   ¿ Lelio ?

LELIO.   Sí.

CIPRIANO.   Ya no estoy a tu lado, *(A* FLORO.*)*
porque es fuerza estar en medio.
¿ Qué es esto ? ¡ En un día dos veces
he de hallarme a componeros !

LELIO.
Ésta la última será,
porque ya estamos compuestos;
que con haber conocido
quién es de Justina dueño,
no le queda a mi esperanza
ni aun el menor pensamiento.
Si no has hablado a Justina,
que no la hables te ruego
de parte de mis agravios
y mis desdichas, habiendo
visto que Floro merece
sus favores en secreto.
Dese balcón ha bajado
de gozar el bien que pierdo;
y no es mi amor tan infame,
que haya de querer, atento
a celos averiguados,
con desengaños tan ciertos. (*Vase.*)

FLORO.
Espera.

ESCENA XV

CIPRIANO.
No has de seguirle.
(*Ap.*) (De haberle oído estoy muerto);
que si es él el que ha perdido
lo que has ganado, y dispuesto
a olvidar está, no es bien
apurar su sufrimiento.

FLORO.
Tú y él apuráis el mío
con estas cosas a un tiempo;
y así, a Justina no hables
por mí; que aunque yo pretendo
a costa de mis agravios
vengarme de sus desprecios,
ya la esperanza de ser
suyo cesó, porque creo
que no es noble el que porfía
sobre averiguados celos. (*Vase.*)

ESCENA XVI

CIPRIANO.   (*Ap.*) ¿ Qué es esto, cielos ?, ¿ qué escucho ?
¿ El uno del otro a un tiempo
unos mismos celos tienen ?
¿ Yo de uno y otro los tengo ?
Los dos sin duda padecen
algún engaño, y yo tengo
que agradecerles, pues ya
los dos desisten en esto
de su pretensión. Desdichas,
aunque haya sido consuelo
este discurso, buscado
de mis ansias, le agradezco. —
Moscón, prevenme mañana
galas; Clarín, tráeme luego
espada y plumas; que amor
se regala en el objeto
airoso y lucido; y ya,
ni libros ni estudios quiero.
porque digan que es amor
homicida del ingenio. (*Vase.*)

JORNADA SEGUNDA

En el mismo lugar del fin de la jornada anterior

ESCENA PRIMERA

Salen CIPRIANO, MOSCÓN *y* CLARÍN, *vestidos de galanes*

CIPRIANO. (*Ap.*) Altos pensamientos míos,
¿ dónde, dónde me traéis,
si ya por cierto tenéis
que son locos desvaríos
    los que osados intentáis,
pues atreviéndôs al cielo,
precipitados de un vuelo
hasta el abismo bajáis ?
    Vi a Justina . . . ¡ A Dios pluguiera
que nunca viera a Justina,
ni en su perfección divina
la luz de la cuarta esfera !
    Dos amantes la pretenden,
uno del otro ofendido;
y yo a dos celos rendido,
aun no sé los que me ofenden:
    sólo sé que mis recelos
me despeñan con sus furias
de un desdén a las injurias,
de un agravio a los desvelos.
    Todo lo demás ignoro,
y en tan abrasado empeño,
cielos, Justina es mi dueño,
cielos, a Justina adoro.
    Moscón.

MOSCON. Señor.

CIPRIANO.   Ve si está
             Lisandro en casa.

MOSCON.   Es razón.

CLARIN.   No es; yo iré, porque Moscón
             hoy no puede entrar allá.

CIPRIANO.   ¡ Oh, qué cansada porfía
             siempre la de los dos fué !
             ¿ Por qué no puede ?, ¿ por qué ?

CLARIN.   Porque hoy, señor, no es su día;
               mío sí, y de buena gana
             a dar el recado voy;
             que yo allá puedo entrar hoy,
             y Moscón no, hasta mañana.

CIPRIANO.   ¿ Qué nueva locura es ésta,
             añadida al porfiar ?
             Ni tú ni él habéis de entrar
             ya, pues su luz manifiesta
               Justina.

CLARIN.   De fuera viene
             hacia su casa.

                    ESCENA II

   Salen LIVIA *y* JUSTINA, *con mantos, por una puerta*

JUSTINA.   ¡ Ay de mí !
             Livia, Cipriano está aquí. *(Ap. a ella.)*

CIPRIANO.   *(Ap.)* Disimular me conviene
             de mis celos los desvelos,
             hasta apurarlos mejor.
             Sólo la hablaré en mi amor,
             si lo permiten mis celos. —
               No en vano, señora, ha sido
             haber el traje mudado,
             para que, como criado,
             pueda a vuestros pies rendido
               serviros. A mereceros
             esto lleguen mis suspiros:

dad licencia de serviros,
pues no la dais de quereros.

JUSTINA.   Poco, señor, han podido
mis desengaños con vos,
pues que no han podido . . .

CIPRIANO.   ¡ Ay, Dios !

JUSTINA.   mereceros un olvido.
     ¿ De qué manera queréis
que os diga cuánto es en vano
la asistencia, Ciprïano,
que a mis umbrales tenéis ?
     Si días, si meses, si años,
si siglos a ellos estáis,
no esperéis que a ellos oigáis
sino solos desengaños:
     porque es mi rigor de suerte,
de suerte mis males fieros,
que es imposible quereros,
Ciprïano, hasta la muerte. *(Vase.)*

CIPRIANO.   La esperanza que me dais,
ya dichoso puede hacerme.
Si en muerte habéis de quererme,
muy corto plazo tomáis.
     Yo le acepto, y si a advertir
llegáis cuán presto ha de ser,
empezad vos a querer,
que ya empiezo yo a morir.

ESCENA III

CLARIN.   En tanto que mi señor,
Livia, triste y discursivo,
está de esqueleto vivo
desengañando su amor,
     dame los brazos.

LIVIA.   Paciencia
ten, mientras que considero

si es tu día; que no quiero
encargar yo mi conciencia.
   Martes sí, miércoles no.

CLARIN. ¿Qué cuentas, pues ha callado
Moscón?

LIVIA.   Puede haberse errado,
y no quiero errarme yo;
   porque no quiero, si arguyo
que justicia he de guardar,
condenarme por no dar
a cada uno lo que es suyo.
   Pero bien dices, tu día
es hoy.

CLARIN.   Pues dame los brazos.

LIVIA. Con mil amorosos lazos.

MOSCON. ¿Oye usarced, reina mía?
   Bien ve usarced, con la gana
que hoy aquesos lazos hace:
dígolo porque me abrace
con la misma a mí mañana.

LIVIA.   Excusada es la sospecha
de que a usted no satisfaga,
ni quiera Júpiter que haga
yo una cosa tan mal hecha
   como usar de demasía
con nadie. Yo abrazaré
con mucha equidad a usté
cuando le toque su día. (Vase.)

ESCENA IV

CLARIN.   Por lo menos, no he de vello
yo.

MOSCON.   Pues eso ¿qué ha importado?
¿Puede a mí haberme agraviado
jamás, si reparo en ello,
   una moza que no es mía?

CLARIN.   No.

MOSCON.   Luego yo bien porfío
que no ha sido en daño mío
lo que no ha sido en mi día.
          Mas ¿ qué hace nuestro amo allí
tan suspenso ?

CLARIN.   Por si a hablar
llega algo, quiero escuchar.

MOSCON.   Y yo también.

CIPRIANO.   ¡ Ay de mí !

          *(Al irse acercando cada uno por su
          lado, CIPRIANO con la acción da a
          entrambos.)*

          ¡ Que tanto, amor, desconfíes !

CLARIN.   ¡ Ay de mí !

MOSCON.   ¡ Ay de mí ! también.

CLARIN.   Llamar a este sitio es bien
la isla de los ay-de-míes.

CIPRIANO.   ¿ Aquí estábades los dos ?

CLARIN.   Yo bien juraré que estaba.

MOSCON.   Yo y todo.

CIPRIANO.   Desdicha, acaba
de una vez conmigo. ¡ Ay, Dios !
          ¿ Vióse en tan nuevos extremos
el humano corazón ?

En las afueras de la población, a orillas del mar

ESCENA V

CLARIN.   ¿ Adónde vamos, Moscón ?

MOSCON.   En llegando lo sabremos.
          Pero fuera del lugar
camina.

CLARIN.   Excusado es

salirnos al campo, pues
no tenemos que estudiar.

CIPRIANO.   Clarín, vete a casa.

MOSCON.   ¿Y yo?

CLARIN.   ¿Tú te habías de quedar?

CIPRIANO.   Los dos me habéis de dejar.

CLARIN.   A entrambos nos lo mandó. (*Vanse.*)

ESCENA VI

CIPRIANO.   Confusa memoria mía,
no tan poderosa estés,
que me persuadas que es
otra alma la que me guía.
     Idólatra me cegué,
ambicioso me perdí,
porque una hermosura vi,
porque una deidad miré;
     y entre confusos desvelos
de un equívoco rigor,
conozco a quien tengo amor,
y no de quien tengo celos.
     Y tanto aquesta pasión
arrastra mi pensamiento,
tanto (¡ay de mí!) este tormento
lleva mi imaginación,
     que diera (despecho es loco,
indigno de un noble ingenio)
al más diabólico genio
(harto al infierno provoco),
     ya rendido, y ya sujeto
a penar y padecer,
por gozar a esta mujer,
diera el alma.

ESCENA VII

DEMONIO.   *(Dentro.)*   Yo la aceto.

(Suena ruido de truenos como tempestad y rayos.)

CIPRIANO.   ¿ Qué es esto, cielos puros ?
¡ Claros a un tiempo, y en el mismo oscuros,
dando al día desmayos !
Los truenos, los relámpagos y rayos
abortan de su centro
los asombros que ya no caben dentro.
De nubes todo el cielo se corona,
y, preñado de horrores, no perdona
el rizado copete deste monte.
Todo nuestro horizonte
es ardiente pincel del Mongibelo,
niebla el sol, humo el aire, fuego el cielo.
¡ Tanto ha que te dejé, filosofía,
que ignoro los efectos deste día !
Hasta el mar sobre nubes se imagina
desesperada ruina,
pues crespo sobre el viento en leves plumas,
le pasa por pavesas las espumas.
Naufragando una nave,
en todo el mar parece que no cabe;
pues el amparo más seguro y cierto
es cuando huye la piedad del puerto.
El clamor, el asombro y el gemido
fatal presagio han sido
de la muerte que espera; y lo que tarda
es porque está muriendo lo que aguarda.
Y aun en ella también vienen portentos;
no son todos de cielos y elementos.
Sin duda se vistió de la tormenta.
A chocar con la tierra
viene. Ya no es del mar sólo la guerra,
pues la que se le ofrece,

un peñasco le arrima en que tropiece,
porque la espuma en sangre se salpique.

TODOS. (*Dentro.*) Que nos vamos a pique.

DEMONIO. (*Dentro.*) En una tabla quiero
salir a tierra, para el fin que espero.

CIPRIANO. Porque su horror se asombre,
burlando su poder, escapa un hombre,
y el bajel, que en las ondas ya se ofusca,
el camarín de los tritones busca,
y en crespo remolino,
es cadáver del mar, cascado el pino.

(*Sale* EL DEMONIO, *mojado, como que sale del mar*)

DEMONIO. (*Para sí.*) Para el prodigio que intento,
hoy me ha importado fingir
sobre campos de zafir,
este espantoso portento;
  y en forma desconocida
de la que otra vez me vió,
cuando en este monte yo
miré mi ciencia excedida,
  vengo a hacerle nueva guerra,
valiéndome así mejor
de su ingenio y de su amor.
Dulce madre, amada tierra, (*En alta voz.*)
  dame amparo contra aquel
monstruo que de sí me arroja.

CIPRIANO. Pierde, amigo, la congoja
y la memoria cruel
  de tu reciente fortuna,
viendo en tu mayor trabajo
que no hay firme bien debajo
de los cercos de la luna.

DEMONIO.   ¿ Quién eres tú, a cuyas plantas
mi fortuna me ha traído ?

CIPRIANO. Quien, de la piedad movido
de penas y ruinas tantas,
  serte de alivio quisiera.

DEMONIO.   Imposible vendrá a ser;
                que no le puedo tener
                yo jamás.

CIPRIANO.   ¿ De qué manera ?

DEMONIO.   Todo mi bien he perdido . . .
                pero sin razón me quejo,
                pues ya con la vida dejo
                mis memorias al olvido.

CIPRIANO.   Ya que de aquel torbellino
                el terremoto cesó,
                y el cielo a su paz volvió,
                manso, quieto y cristalino,
                    con tal priesa, que su grave
                enojo nos da a entender
                que sólo debió de ser
                hasta conseguir tu nave,
                    dime quién eres, siquiera
                por la piedad que me das.

DEMONIO.   Más de lo que has visto y más
                de lo que decir pudiera,
                    me cuesta el llegar aquí;
                que es mi fortuna cruel.
                La menor es del bajel.
                ¿ Quieres ver si es cierto ?

CIPRIANO.   Sí.

DEMONIO.   Yo soy, pues saberlo quieres,
                un epílogo, un asombro
                de venturas y desdichas,
                que unas pierdo y otras lloro.
                Tan galán fuí por mis partes,
                por mi lustre tan heroico,
                tan noble por mi linaje
                y por mi ingenio tan docto,
                que aficionado a mis prendas
                un rey, el mayor de todos
                (puesto que todos le temen,
                si le ven airado el rostro),
                en su palacio cubierto

de diamantes y piropos
(y aun si los llamase estrellas
fuera el hipérbole corto),
me llamó valido suyo,
cuyo aplauso generoso
me dió tan grande soberbia,
que competí al regio solio,
queriendo poner las plantas
sobre sus dorados tronos.
Fué bárbaro atrevimiento:
castigado lo conozco.
Loco anduve; pero fuera,
arrepentido, más loco.
Más quiero en mi obstinación
con mis alientos briosos
despeñarme de bizarro,
que rendirme de medroso.
Si fueron temeridades,
no me vi en ellas tan solo,
que de sus mismos vasallos
no tuviese muchos votos.
De su corte, en fin, vencido,
aunque en parte victorioso,
salí arrojando venenos
por la boca y por los ojos,
y pregonando venganzas,
por ser mi agravio notorio,
logrando en las gentes suyas
insultos, muertes y robos.
Los anchos campos del mar,
sangriento pirata corro,
Argos ya de sus bajíos,
y lince de sus escollos.
En aquel bajel que el viento
desvaneció en leves soplos;
en aquel bajel que el mar
convirtió en ruina sin polvo,
esas campañas de vidrio

hoy corría codicioso,
hasta examinar un monte
piedra a piedra y tronco a tronco;
porque en él un hombre vive,
y a buscarle me dispongo,
a que cumpla una palabra
que él me ha dado y yo le otorgo.
Embistióme esta tormenta;
y aunque pudo prodigioso
mi ingenio enfrenar a un tiempo
al euro, al cierzo y al noto,
no quise desesperado,
por otras causas, por otros
fines, convertirlos hoy
en regalados favonios.
(*Ap.*) (Que pude, dije, y no quise:
aquí de su ingenio noto
los riesgos, pues desta suerte
de mágicas le aficiono.)
No te espantes del despecho,
ni del prodigio tampoco:
de aquél, porque yo con iras
me diera muerte a mí propio;
ni déste, porque con ciencias
daré al sol pálido asombro.
Soy en la magia que alcanzo,
el registro poderoso
desos orbes: línea a línea
los he discurrido todos.
Y porque no te parezca
que sin ocasión blasono,
mira si a este mismo instante
quieres que lo inculto y tosco
deste Nembrot de peñascos,
más bruto que el babilonio,
te facilite lo horrible,
sin que pierda lo frondoso.
Éste soy, huérfano huésped

destos fresnos, destos chopos;
y aunque éste soy, a tus plantas
quiero pedirte socorro;
y quiero en el que me dieres,
librarte el bien que te compro
con el afán de mi estudio,
que en experiencias abono,
trayéndote a tu albedrío
(*Ap.*) (aquí en el amor le toco)
cuanto te pida el deseo
más avaro y prodigioso,
y en tanto que no le acetes,
ya de cortés, ya de corto,
págate de los deseos,
si es que en ti no los malogro;
que por la piedad que muestras
(que agradezco y que conozco)
seré tu amigo tan firme,
que ni el repetido monstruo
de sucesos, la fortuna,
que entre baldones y elogios,
próspera y adversa muestra
lo avaro y lo generoso;
ni en su continua tarea
corriendo y volando a tornos
el tiempo, imán de los siglos;
ni el cielo, ni el cielo proprio,
a cuyos astros el mundo
debe el bellísimo adorno,
tendrán poder de apartarme
de tu lado un punto sólo,
como aquí me des amparo;
y aun todo aquesto es muy poco
para lo que yo intereso,
si mis pensamientos logro.

CIPRIANO.   Puedo decir que al mar albricias pido
de que te hayas perdido,
y a este monte llegaras,

>   donde verás bien claras
>   muestras de la amistad que ya te ofrezco
>   si feliz por mi huésped te merezco:
>   y así, vente conmigo;
>   que he de estimarte por seguro amigo.
>   Mi huésped has de ser mientras quisieres
>   servirte de mi casa.

DEMONIO.   ¿ Ya me adquieres
>   por tuyo ?

CIPRIANO.   Con los brazos
>   firme nuestra amistad eternos lazos.
>   (Ap.) ¡ Oh si a alcanzar llegase
>   que aqueste hombre la magia me enseñase!
>   Pues con ella quizá mi amor podría
>   en parte divertir la pena mía;
>   o podría mi amor quizá con ella
>   en todo conseguir la causa della,
>   de mi rabia, mi furia y mi tormento.

DEMONIO.   (Ap.) Ya al ingenio y amor le mira atento.

ESCENA VIII

Salen CLARÍN *y* MOSCÓN, *cada uno por su puerta, corriendo*

CLARIN.   ¿ Estás vivo, señor ?

MOSCON.   (A CLARÍN.)   ¡ Civilidades
>   gastas por novedades !
>   Claro está, pues le miras, que está vivo.

CLARIN.   He usado deste modo admirativo
>   para ponderación, noble lacayo,
>   del milagro que fué no darle un rayo
>   de tantos como vió aquesta montaña.

MOSCON.   Pues el mirarle ¿ no te desengaña ?

CIPRIANO.   Éstos son mis criados. —
>   ¿ A qué volvéis ?

MOSCON.   A darte mis enfados.

DEMONIO.   Tienen alegre humor.

CIPRIANO.   A mí me tienen
cansado, porque siempre necios vienen.

MOSCON.   ¿Quién es aqueste hombre,
señor?

CIPRIANO.   Un huésped mío; no os asombre.

CLARIN.   ¿Para qué quieres huéspedes ahora?

CIPRIANO.   (Al DEMONIO.) Lo que merece tu valor ignora.

MOSCON.   Mi señor hace bien. ¿Has de heredalle?

CLARIN.   No; pero tiene talle
el tal huésped, si acaso no me engaño,
de estarse en casa un año y otro año.

MOSCON.   ¿De qué lo infieres?

CLARIN.   Cuando apriesa pasa
un huésped, decir suelen: "No hará en casa
mucho humo"; y de aquéste . . .

MOSCON.   Di.

CLARIN.   Presumo . . .

MOSCON.   ¿Qué?

CLARIN.   Que ha de hacer en casa mucho humo.

CIPRIANO.   Para que te repares
de las iras del mar y tus pesares,
vente conmigo.

DEMONIO.   Voy a obedecerte.

CIPRIANO.   Tu descanso procuro. (Vase.)

DEMONIO.   (Ap.)   Yo tu muerte.
Y pues ya he conseguido
el mirarme contigo introducido,
ir a alterar mi saña determina
de otra suerte también la de Justina.
                                          (Vase.)

CLARIN.   ¿No sabes qué he pensado?

MOSCON.   ¿Qué?

CLARIN.   Que del terremoto ha reventado
algún volcán, que mucho azufre he olido.

MOSCON.   Que es el huésped a mí me ha parecido.

CLARIN.   Malas pastillas gasta. Mas ya infiero
la causa.

MOSCON.   ¿Qué es?

CLARIN.   El pobre caballero
debe de tener sarna, y hase untado
con ungüento de azufre.

MOSCON.   En ello has dado.
                                        (*Vanse.*)

En la calle en que vive Justina

ESCENA IX

Salen LELIO *y* FABIO, *criado*

FABIO.   En fin, ¿ vuelves a esta calle ?
LELIO.   La vida en ella perdí,
y vuelvo a buscarla aquí:
quiera amor que no la halle
     dudosos celos.
FABIO.   Repara
en que a las puertas estás
de la casa de Justina.
LELIO.   ¿ Qué importa, si hoy determina
mi amor declararse más ?
     Que pues a ver he llegado
que a otro de noche se fía,
no es mucho que yo de día
desahogue mi cuidado.
     Retírate tú, porque
el entrar solo es mejor.
Mi padre es gobernador
de Antioquía: bien podré
     con este aliento y la furia
que a despeñarme camina,
en casa entrar de Justina,
y quejarme de su injuria.

ESCENA X

Vase FABIO *y sale* JUSTINA (en su casa)

JUSTINA.   Livia . . . Mas ¿ quién está al paso ?
LELIO.   Yo soy.
JUSTINA.   Pues ¿ qué novedad,
señor, qué temeridad
obliga ? . . .
LELIO.   Cuando me abraso
tanto, a mis celos sujeto,
no lo he de estar a tu honor.
Perdona, que con mi amor
ha espirado tu respeto.
JUSTINA.   ¿ Pues cómo tan atrevido
osas . . .
LELIO.   Como estoy furioso.
JUSTINA.   entrar . . .
LELIO.   Como estoy celoso.
JUSTINA.   aquí . . .
LELIO.   Como estoy perdido.
JUSTINA.   sin advertir y sin ver
el escándalo que da
que? . . .
LELIO.   No te aflijas, pues ya
tienes poco que perder.
JUSTINA.   Mira, Lelio, mi opinión.
LELIO.   Justina, eso mejor fuera
que tu voz se lo dijera
a quien por ese balcón
sale de noche. No quiero
más de que sepas que sé
tus liviandades, porqué
menos ingrato y severo
tu honor esté con mi amor;
que es tu desdén más injusto
porque tienes otro gusto,
que porque tienes honor.

JUSTINA.   Calla, calla, no hables más.
¿ Quién en mi casa se atreve,
ni quién en mi ofensa mueve
paso y voz ? ¿ Tan ciego estás,
    tan atrevido, tan loco,
que con fingidas quimeras
eclipsar las luces quieras
que aun al sol tienen en poco ?
    ¿ Hombre de mi casa . . .

LELIO.   Sí.

JUSTINA.   por mi balcón? . . .

LELIO.   Mi dolor
lo diga, ingrata.

JUSTINA. | Ay, honor |,
volved por vos y por mí.

ESCENA XI

Sale EL DEMONIO, *por la puerta que está a las espaldas
de* JUSTINA

DEMONIO.   *(Ap.)* Acudiendo mi furor
a los dos cargos que tengo,
a esta casa a entablar vengo
el escándalo mayor
    del mundo; y pues ya este amante
tan despechado y tan ciego
está, avívese su fuego.
Ponerme quiero delante,
    y como huyendo, después
de ser visto, retirarme.

              *(Hace como que va a salir, y en vién-
              dole* LELIO, *se reboce; y vuelve a
              entrarse por donde salió.)*

JUSTINA.   Hombre, ¿ vienes a matarme ?

LELIO.   No, sino a morir.

JUSTINA.
¿ Qué ves,
que de nuevo te has mudado ?

LELIO.
Los engaños tuyos veo.
Di ahora que mi deseo
mis ofensas ha inventado.
Un hombre deste aposento
iba a salir: como vió
gente, embozado volvió
a retirarse.

JUSTINA.
En el viento
te finge tu fantasía
ilusiones.

(Quiere entrar, y detiénele.)

LELIO.
¡ Pena brava !

JUSTINA.
¿ Pues de noche no bastaba,
Lelio, mas también del día
la luz quieres engañar ?

*(Apártala, y éntrase por donde estaba el
DEMONIO.)*

LELIO.
Si es engaño o no es engaño,
así veré el desengaño.

JUSTINA.
No te lo quiero excusar,
porque la inocencia mía,
a costa desta licencia,
desvanezca la apariencia
de la noche con el día. *(Vase.)*

ESCENA XII

Sale LISANDRO, *viejo*

LISANDRO.
Justina.

JUSTINA.
(Ap.) Esto me faltaba.
¡ Ay de mí, si Lelio sale,
estandro Lisandro aquí !

LISANDRO.
Mis desdichas, mis pesares
vengo a consolar contigo.

JUSTINA.	¿ Qué tienes, que en el semblante muestras disgusto y tristeza ?
LISANDRO.	No es mucho, cuando se rasgue el corazón. Con el llanto pasar no puedo adelante.

Sale LELIO

LELIO.	(*Ap.*) Ahora acabo de creer que sombra los celos hacen, pues no está en este aposento, ni tuvo por dónde echarse el hombre que vi.
JUSTINA.	(*Ap. a* LELIO.) No salgas, Lelio, que está aquí mi padre.
LELIO.	Esperaré a que se ausente convalecido en mis males. (*Retírase.*)
JUSTINA.	¿ De qué lloras ? ¿ Qué suspiras ? ¿ Qué tienes, señor ? ¿ Qué traes ?
LISANDRO.	Tengo el dolor más sensible, traigo la pena más grave que vió la tierna piedad, para ejemplos miserables, con que la crueldad se baña de tanta inocente sangre. Al gobernador envía el césar Decio inviolable un decreto . . . Hablar no puedo.
JUSTINA.	(*Ap.*) ¿ Quién vió pena semejante ? Lisandro, compadecido de los cristianos ultrajes, conmigo habla, sin saber que Lelio puede escucharle, hijo del gobernador.
LISANDRO.	En fin, Justina . . .
JUSTINA.	No pases, señor, si así has de sentirlo, con el discurso adelante.
LISANDRO.	Déjame que le repita;

que contigo, es aliviarle.
En él manda . . .

JUSTINA.   No prosigas,
cuando es tan justo que engañes
tu vejez con más sosiego.

LISANDRO.   Cuando, porque me acompañes
en los sentimientos vivos
que bastan para matarme,
más cruel que vió la margen
te doy cuenta del decreto
del Tíber, con sangre escrito
para manchar sus cristales,
¡ me diviertes ! De otra suerte
solías, Justina, escucharme
estas lástimas.

JUSTINA.   Señor,
no son los tiempos iguales.

LELIO.   (Ap. al paño.) No oigo todo lo que hablan,
sino destroncado a partes.

ESCENA XIII

Sale FLORO *por la otra parte*

FLORO.   (Ap.) Licencia tiene un celoso
que llega a desengañarse
de una hipócrita virtud,
sin que más respetos guarde.
Con este intento hasta aquí . . .
Mas con ella está su padre:
esperaré otra ocasión.

LISANDRO.   ¿ Quién pisa aquestos umbrales ?

FLORO.   (Ap.) Ya no es posible, ¡ ay de mí !,
que me vuelva sin hablarle.
Daréle alguna disculpa.
Yo soy . . .

LISANDRO.   ¿ Tú en mi casa ?

FLORO.   A hablarte
          vengo, si me das licencia,
          sobre un negocio importante.

JUSTINA.   (*Ap.*) Duélete de mí, fortuna;
          que son éstos muchos lances.

LISANDRO.   Pues ¿qué mandas?

FLORO.   (*Ap.*)   ¿Qué diré
          que deste empeño me saque?

LELIO.   (*Al paño.*) ¡Floro en casa de Justina
          con libertad entra y sale!
          Si son fingidos aquellos
          celos, ya éstos son verdades.

LISANDRO.   Mudado traes el color.

FLORO.   No te admires, no te espantes,
          que vengo a darte un aviso,
          que es a tu vida importante,
          de un enemigo que tienes,
          que de tu muerte en alcance
          anda. Esto basta que diga.

LISANDRO.   (*Ap.*) Sin duda que Floro sabe
          que yo soy cristiano, y viene
          con esta causa a avisarme
          de mi peligro. — Prosigue,
          y nada, Floro, me calles.

                  ESCENA XIV

                  Sale LIVIA

LIVIA.   Señor, el gobernador
          me ha mandado que te llame,
          y a la puerta está esperando.

FLORO.   Mejor será que yo aguarde:
          (*Ap.*) (Pensaré en tanto el engaño)
          y ansí es bien que le despaches.

LISANDRO.   Estimo tu cortesía.
          Aquí volveré al instante.

                          (*Vanse* LISANDRO *y* LIVIA.)

ESCENA XV

JUSTINA, FLORO; LELIO, *al paño*

FLORO.
¿ Eres tú la virtüosa
que a las lisonjas süaves
del templado viento llamas
descomedidos ultrajes ?
Pues ¿ cómo de tu recato
y de tu casa las llaves
rendiste ?

JUSTINA.
             Floro, detente:
no tan descortés agravies
opinión de quien el sol
hizo el más costoso examen
de pura y limpia.

FLORO.
               Ya llega
aquesa vanidad tarde,
pues ya yo sé a quién has dado
libre entrada . . .

JUSTINA.
              ¿ Que así hables ?

FLORO.
por un balcón.

JUSTINA.
           No pronuncies . . .

FLORO.
A tu honor . . .

JUSTINA.
           ¿ Que así me trates ?

FLORO.
Sí, que no merecen más
hipócritas humildades.

LELIO.
(Ap.) Floro no fué el del balcón.
Sin duda que hay otro amante,
puesto que ni él ni yo fuimos.

JUSTINA.
Pues tienes ilustre sangre,
no ofendas nobles mujeres.

FLORO.
¡ Que noble mujer te llames
cuando a tus brazos le admites,
y por tus balcones sale !
Rindióte el poder; que como
es gobernador su padre,
te llevó la vanidad
de ver que a Antioquía mande . . .

LELIO.	*(Ap.)* De mí habla.
FLORO.	Sin mirar

otros defectos más grandes,
que la autoridad encubre
en sus costumbres y sangre.
Pero no . . .

Sale LELIO

LELIO.	Floro, detente,

y no en mi ausencia me agravies;
que hablar del competidor
mal, son despechos cobardes.
Y salgo a que no prosigas,
corrido de tantos lances
como contigo he tenido,
sin que en ninguno te mate.

JUSTINA.	¿ Quién, sin culpa, se vió nunca

en tan peligrosos lances ?

FLORO.	Cuanto yo de ti dijera

detrás, te diré delante,
y es verdad no sospechosa.

JUSTINA.	Tente, Floro; Lelio, ¿ qué haces ?
LELIO.	Tomar la satisfacción

adonde escucho el desaire.

(Empuñan las espadas.)

FLORO.	Sustentaré lo que dije

donde lo dije.

JUSTINA.	¡ Libradme,

cielos, de tantas fortunas !

FLORO.	Y yo sabré castigarte.

ESCENA XVI

Sale EL GOBERNADOR, GENTE *y* LISANDRO

TODOS.	Teneos.
JUSTINA.	(¡Ay, infelice !)

GOBERN.   ¿ Qué es esto ? Mas ¿ no es bastante
             indicio espadas desnudas,
             para que pueda informarme ?

JUSTINA.   ¡ Qué desdicha !

LISANDRO.   ¡ Qué pesar !

TODOS.   Señor . . .

GOBERN.   Baste, Lelio, baste.
             ¿ Tú inquieto, siendo mi hijo ?
             ¿ Tú de mi favor te vales
             para alterar a Antioquía ?

LELIO.   Señor, advierte . . .

GOBERN.   Llevaldes;
             que no ha de haber excepción,
             ni privilegios de sangre,
             para no igualar castigos,
             pues son las culpas iguales.

LELIO.   (Ap.) Celos truje, y llevo agravios

FLORO.   (Ap.) Penas a penas se añaden.

GOBERN.   En diferentes prisiones,

                                   (Llévanlos.)

             y con gente que los guarde,
             a los dos tened. — Y vos,
             Lisandro, ¿ tan nobles partes
             es posible que manchéis,
             sufriendo ? . . .

LISANDRO.   No, no os engañen
             deslumbradas apariencias,
             porque Justina no sabe
             la ocasión.

GOBERN.   ¿ Dentro en su casa
             queréis que viva ignorante,
             mozos ellos, y ella hermosa ?
             En peligro tan culpable
             me templo, porque no digan
             que sentencio como parte,
             siendo apasionado juez;
             mas vos que esto ocasionasteis,

ya perdida la vergüenza,
sé que volveréis a darme
ocasión (que la deseo)
para que nos desengañen
de vuestra virtud mentida
verdaderas liviandades.

(*Vanse el* GOBERNADOR *y su* GENTE.)

ESCENA XVII

JUSTINA.   Mis lágrimas os respondan.
LISANDRO. Ya lloras sin fruto y tarde.
           ¡ Oh qué mal, Justina, hice
           el día que a declararte
           llegué quién eras ! ¡ Oh, nunca
           te contara que en la margen
           de un arroyo, en ese monte
           fuiste parto de un cadáver !
LISANDRO. (*Al hablarle* JUSTINA.)
           No me des satisfacciones.
JUSTINA.   Los cielos han de abonarme.
LISANDRO. ¡ Qué tarde será !
JUSTINA.   No hay plazo
           que en la vida llegue tarde.
LISANDRO. Para castigar delitos.
JUSTINA.   Para acrisolar verdades.
LISANDRO. Por lo que vi te condeno.
JUSTINA.   Yo a ti por lo que ignoraste.
LISANDRO. Déjame, que voy muriendo,
           donde mi dolor me acabe.
JUSTINA.   Pierda yo a tus pies la vida;
           pero no me desampares. (*Vanse.*)

En casa de Cipriano; desde la galería del fondo
se ve un monte

ESCENA XVIII

Salen EL DEMONIO y CIPRIANO y MOSCÓN y CLARÍN

DEMONIO. Desde que en tu casa entré,
te he visto sin alegría:
profunda melancolía
en tu semblante se ve.
    Tu alivio no es bien que estorbes,
queriéndomelo ocultar,
pues sabré destachonar
la clavazón de los orbes,
por sólo el menor deseo
que te ofenda y te fatigue.

CIPRIANO. No habrá mágica que obligue
al imposible que veo:
    son mis ansias infelices.

DEMONIO. Tu amistad me las confiese.

CIPRIANO. Quiero a una mujer.

DEMONIO.   ¿ Y es ése
el imposible que dices ?

CIPRIANO.   Si tú supieras quién es ...

DEMONIO. Curiosa atención te doy,
mientras que burlando estoy
de que tan cobarde estés.

CIPRIANO.   La hermosa cuna temprana
del infante sol que enjuga
lágrimas cuando madruga,
vestido de nieve y grana;
la verde prisión ufana
de la rosa cuando avisa
que ya sus jardines pisa
abril, y entre mansos hielos
al alba es llanto en los cielos,
lo que es en los campos risa;
    el detenido arroyuelo,
que el murmurar más süave
aun entre dientes no sabe,
porque se los prende el hielo;

el clavel, que en breve cielo
es estrella de coral;
el ave, que liberal
vestir matices presuma,
veloz cítara de pluma,
al órgano de cristal;

 el risco que al sol engaña,
si a derretirle se atreve,
pues, gastándole la nieve,
no le gasta la montaña;
el laurel que el pie se baña
con la nieve que atropella,
y, verde Narciso della,
burla sin tener desmayos,
en esta parte los rayos,
y los hielos en aquélla;

 al fin, cuna, grana, nieve,
campo, sol, arroyo o rosa,
ave que canta amorosa,
risa que aljófares llueve,
clavel que cristales bebe,
peñasco sin deshacer,
y laurel que sale a ver
si hay rayos que le coronen,
son las partes que componen
a esta divina mujer.

 Estoy tan ciego y perdido,
porque mi pena te asombre,
que por parecer a otro hombre,
me engañé con el vestido.
Mis estudios di al olvido
como al vulgo mi opinión,
el discurso a mi pasión,
a mi llanto el sentimiento,
mis esperanzas al viento,
y al desprecio mi razón.

 Dije (y haré lo que dije)
que ofreciera liberal

el alma a un genio infernal
(de aquí mi pasión colige),
porque este amor que me aflige
premiase con merecella;
pero es vana mi querella,
tanto que presumo que es
el alma corto interés,
pues no me la dan por ella.

DEMONIO. ¿ Tu valor ha de seguir
los pasos desesperados
de amantes que se acobardan
en los primeros asaltos ?
¿ Tan lejos ejemplos viven
de bellezas que postraron
su vanidad a los ruegos,
su altivez a los halagos ?
¿ Quieres lograr tus deseos,
siendo su prisión tus brazos ?

CIPRIANO. ¿ Eso dudas ?

DEMONIO. Pues envía
allá fuera esos criados,
y quedemos los dos solos.

CIPRIANO. Idos allá fuera entrambos.

MOSCON. Yo obedezco.

CLARIN. Y yo también.
(Ap.) El tal huésped es el diablo. (Escóndese.)

CIPRIANO. Ya se fueron.

DEMONIO. (Ap.) Poco importa
que Clarín se haya quedado.

ESCENA XIX

CIPRIANO. ¿ Qué quieres ahora ?

DEMONIO. Esa puerta
cierra.

CIPRIANO. Ya solos estamos.

DEMONIO.   Por gozar a esta mujer
               aquí dijeron tus labios
               que darás el alma.

CIPRIANO.   Sí.

DEMONIO.   Pues yo te aceto el contrato.

CIPRIANO.   ¿ Qué dices ?

DEMONIO.   Que yo le aceto.

CIPRIANO.   ¿ Cómo ?

DEMONIO.   Como puedo tanto,
               que te enseñaré una ciencia
               con que podrás a tu mando
               traer la mujer que adoras;
               que yo, aunque tan docto y sabio,
               traerla para otro no puedo.
               Las escrituras hagamos
               ante nosotros dos mismos.

CIPRIANO.   ¿ Quieres con nuevos agravios
               dilatar las penas mías ?
               Lo que ofrecí está en mi mano,
               pero lo que tú me ofreces
               no está en la tuya, pues hallo
               que sobre el libre albedrío
               ni hay conjuros ni hay encantos.

DEMONIO.   Hazme la cédula tú
               con tal condición.

CLARIN.   *(Ap. al paño.)*   ¡ Mal año !
               Según lo que ahora he visto,
               no es muy bobo aqueste diablo.
               ¡ Yo darle cédula ! Aunque
               se me estuvieran mis cuartos
               sin alquilar veinte siglos,
               no la hiciera.

CIPRIANO.   Los engaños
               son para alegres amigos,
               no para desconfiados.

DEMONIO.   Quiero darte en testimonio
               de lo que yo puedo y valgo,
               algún indicio, aunque sea

de mi poder breve rasgo.
¿ Qué ves desta galería ?

CIPRIANO. Mucho cielo y mucho prado,
un bosque, un arroyo, un monte.

DEMONIO. ¿ Qué es lo que más te ha agradado ?

CIPRIANO. El monte, porque es, en fin,
de la que adoro retrato.

DEMONIO. Soberbio competidor.
de la estación de los años,
que te coronas de nubes,
por bruto rey de los campos,
deja el suelo, mide el viento:
mira que soy quien te llamo.
Y mira tú si a una dama
traerás, si yo a un monte traigo.

*(Múdase un monte de una parte a otra
del tablado.)*

CIPRIANO. ¡ No vi más confuso asombro !
¡ No vi prodigio más raro !

CLARIN. *(Ap.)* Con el espanto y el miedo
estoy dos veces temblando.

CIPRIANO. Pájaro que al viento vuelas,
siendo tus plumas tus ramos;
bajel que en el viento sulcas,
siendo jarcias tus peñascos,
vuélvete a tu centro, y deja
la admiración y el espanto.

(Vuelve el monte a su lugar.)

DEMONIO. Si ésta no es prueba bastante,
pronuncien otra mis labios.
¿ Quieres ver esa mujer
que adoras ?

CIPRIANO. Sí.

DEMONIO. Pues rasgando
las duras entrañas, tú,
monstruo de elementos cuatro,

manifiesta la hermosura
que en tu oscuro centro guardo.

> *(Ábrese un peñasco y está* Justina
> *durmiendo.)*

¿ Es aquélla la que adoras ?

CIPRIANO. Aquélla es la que idolatro.

DEMONIO. Mira si dártela puedo,
pues donde quiera la traigo.

CIPRIANO. Divino imposible mío,
hoy serán centro tus brazos
de mi amor, bebiendo el sol
luz a luz y rayo a rayo.

> *(Ciérrase el monte.)*

DEMONIO. Detente, que hasta que firmes
la palabra que me has dado,
no puedes tocarla.

CIPRIANO.   Espera,
parda nube del más claro
sol que amaneció a mis dichas.
Mas con el viento me abrazo.
Ya creo tus ciencias, ya
confieso que soy tu esclavo.
¿ Qué quieres que haga por ti ?,
¿ qué me pides ?

DEMONIO.   Por resguardo
una cédula firmada
con tu sangre y de tu mano.

CLARIN. *(Ap.)* El alma le diera yo
por no haberme aquí quedado.

CIPRIANO. Pluma será este puñal,
papel este lienzo blanco,
y tinta para escribirlo
la sangre es ya de mis brazos.

> *(Escribe con la daga en un lienzo,
> habiéndose sacado sangre de un
> brazo.)*

(Aparte.)	(¡ Qué hielo ! ¡ Qué horror ! ¡ Qué asombro !)
	Digo yo, el gran Ciprïano,
	que daré el alma inmortal
	(¡ qué frenesí !, ¡ qué letargo !)
	a quien me enseñare ciencias
	(qué confusiones !, ¡ qué espantos !)
	con que pueda atraer a mí
	a Justina, dueño ingrato:
	y lo firmé de mi nombre.
DEMONIO.	*(Ap.)* (Ya se rindió a mis engaños
	el homenaje valiente,
	donde estaban tremolando
	el discurso y la razón.)
	¿ Has escrito ?
CIPRIANO.	Sí, y firmado.
DEMONIO.	Pues tuyo es el sol que adoras.
CIPRIANO.	Tuya por eternos años
	es el alma que te ofrezco.
DEMONIO.	Alma con alma te pago,
	pues por la tuya te doy
	la de Justina.
CIPRIANO.	¿ Qué tanto
	término para enseñarme
	la magia tomas ?
DEMONIO.	Un año,
	con condición . . .
CIPRIANO.	Nada temas.
DEMONIO.	que en una cueva encerrados,
	sin estudiar otra cosa,
	hemos de vivir entrambos,
	sirviéndonos solamente
	a los dos este criado, *(Saca a* CLARÍN.*)*
	que curioso se quedó,
	pues con nosotros llevando
	su persona, este secreto
	desta suerte aseguramos.
CLARIN.	*(Ap.)* ¡ Oh, nunca yo me quedara !
	¿ Que habiendo vecinos tantos

que acechen, no haya demonio
que venga al punto a llevarlos ?

CIPRIANO. Está bien. Dos dichas juntas
ingenio y amor lograron,
pues Justina será mía,
y yo vendré a ser espanto
del mundo con nuevas ciencias.

DEMONIO. No salió mi intento vano.

CLARIN. El mío sí.

DEMONIO.   Ven con nosotros.
(Ap.) Ya vencí el mayor contrario.

CIPRIANO. Dichosos seréis, deseos,
si tal posesión alcanzo.

DEMONIO. (Ap.) No ha de sosegar mi envidia
hasta que los gane a entrambos.
Vamos, y de aquese monte
en lo oculto y lo intrincado
oirás la primer lición
hoy de la mágica.

CIPRIANO.   Vamos,
que con tal maestro mi ingenio,
mi amor con dueño tan alto,
eterno será en el mundo
el mágico Cipriäno.

JORNADA TERCERA

ESCENA PRIMERA

Sale CIPRIANO, *solo, de una como cueva*

CIPRIANO.
      Ingrata beldad mía,
llegó el feliz, llegó el dichoso día,
línea de mi esperanza,
término de mi amor y tu mudanza,
pues hoy será el postrero
en que triunfar de tu desdén espero.
Este monte elevado
en sí mismo al alcázar estrellado,
y aquesta cueva oscura,
de dos vivos funesta sepultura,
escuela ruda han sido
donde la docta mágica he aprendido,
en que tanto me muestro,
que puedo dar lición a mi maestro.
Y viendo ya que hoy una vuelta entera
cumple el sol de una esfera en otra esfera,
a examinar de mis pasiones salgo
con la luz lo que puedo y lo que valgo.
Hermosos cielos puros,
atended a mis mágicos conjuros;
blandos aires veloces,
parad al sabio estruendo de mis voces;
gran peñasco violento,
estremécete al ruido de mi acento;
duros troncos vestidos,
asombraos al horror de mis gemidos;
floridas plantas bellas,
al eco os asustad de mis querellas;
dulces aves süaves,
la acción temed de mis prodigios graves;

bárbaras, crueles fieras,
mirad las señas de mi afán primeras,
porque ciegos, turbados,
suspendidos, confusos, asustados,
cielos, aires, peñascos, troncos, plantas,
fieras y aves, estéis de ciencias tantas;
que no ha de ser en vano
el estudio infernal de Cipriano.

ESCENA II

Sale EL DEMONIO

DEMONIO.   Cipriano.
CIPRIANO.   ¡ Oh, sabio maestro mío !
DEMONIO.   ¿ A qué, usando otra vez de tu albedrío,
más que de mi preceto,
con qué fin, por qué causa, y a qué efeto,
osado o ignorante, *(Enojado.)*
sales a ver del sol la faz brillante ?
CIPRIANO.   Viendo que ya yo puedo
al infierno poner asombro y miedo,
pues con tanto cuidado
la mágica he estudiado,
que aun tú mismo no puedes
decir, si es que me igualas, que me excedes;
viendo que ya no hay parte
della, que con fatiga, estudio y arte
yo no la haya alcanzado,
pues la nigromancia he penetrado,
cuyas líneas oscuras
me abrirán las funestas sepulturas,
haciendo que su centro
aborte los cadáveres, que dentro
tiranamente encierra
la avarienta codicia de la tierra,
respondiendo por puntos
a mis voces los pálidos difuntos;

y viendo, en fin, cumplida
la edad del sol que fué plazo a mi vida.
pues corriendo veloz a su discurso,
con el rápido curso,
los cielos cada día,
retrocediendo siempre a la porfía
del natural, en que se juzga extraño,
el término fatal cumple hoy del año;
lograr mis ansias quiero,
atrayendo a mi voz el bien que espero.
Hoy la rara, hoy la bella, hoy la divina,
hoy la hermosa Justina,
en repetidos lazos
llamada de mi amor, vendrá a mis brazos;
que permitir no creo
de dilación un punto a mi deseo.

DEMONIO.   Ni yo que le permitas
quiero, si es éste el fin que solicitas.
Con caracteres mudos
la tierra línea, pues, y con agudos
conjuros hiere el viento,
a tu esperanza y a tu amor atento.

CIPRIANO.   Pues allí me retiro,
donde verás que cielo y tierra admiro. (Vase.)

DEMONIO.   Y yo te doy licencia,
porque sé de tu ciencia y de mi ciencia
que el infierno inclemente,
a tus invocaciones obediente,
podrá por mí entregarte
a la hermosa Justina en esta parte;
que aunque el gran poder mío
no puede hacer vasallo un albedrío,
puede representalle
tan extraños deleites, que se halle
empeñado a buscallos,
y inclinarlos podré, si no forzallos.

ESCENA III

Sale CLARÍN, *de la cueva*

CLARIN.   Ingrata deidad mía,
no Livia ardiente, sino Livia fría,
llegó el plazo en que espero
alcanzar si tu amor es verdadero;
pues ya sé lo que basta
para ver si eres casta, o haces casta;
que con tanto cuidado
aquí la ciencia mágica he estudiado,
que por ella he de ver (¡ ay de mí triste !)
si con Moscón acaso me ofendiste.
Aguados cielos (ya otro dijo puros),
atended a mis lóbregos conjuros:
montes . . .

DEMONIO.   Clarín, ¿ qué es eso ?

CLARIN.   ¡ Oh, sabio maestro !
Por la concomitancia estoy tan diestro
en la magia, que quiero ver por ella
si Livia, tan ingrata como bella,
comete alguna vez superchería
en la fatal estancia de mi día.

DEMONIO.   Deja aquesas locuras,
y en lo intrincado desas peñas duras
asiste a tu señor, para que veas
(si tanta admiración lograr deseas)
el fin de su cuidado;
que solo quiero estar.

CLARIN.   Yo acompañado.
Y si no he merecido
haber las ciencias tuyas aprendido,
porque, en fin, no te he hecho
cédula con la sangre de mi pecho,
en este lienzo ahora

            (*Saca un lienzo sucio y escribe en él con
            el dedo, habiéndose hecho sangre.*)

(nunca le trae más limpio quien bien llora)
la haré, para que más te escandalices,
dándome un mojicón en las narices;
que no será embarazo
salir de las narices o del brazo.
Digo yo, el gran Clarín, que si merezco
ver a Livia cruel, que al diablo ofrezco ...

DEMONIO. Ya digo que me dejes,
y que con tu señor de mí te alejes.

CLARÍN. Yo lo haré: no te alteres.
Pues que tomar mi cédula no quieres
cuando darla procuro,
sin duda que me tienes por seguro. (Vase.)

ESCENA IV

DEMONIO. Ea, infernal abismo,
desesperado imperio de ti mismo,
de tu prisión ingrata
tus lascivos espíritus desata,
amenazando ruina
al virgen edificio de Justina.
De mil torpes fantasmas que en el viento
su casto pensamiento
hoy se informe, su honesta fantasía
se llene; y con dulcísima armonía
todo provoque amores,
los pájaros, las plantas y las flores.
Nada miren sus ojos,
que no sean de amor dulces despojos;
nada oigan sus oídos,
que no sean de amor tiernos gemidos;
porque sin que defensa en su fe tenga,
hoy a buscar a Ciprïano venga,
de su ciencia invocada,
y de mi ciego espíritu guiada.
Empezad, que yo en tanto
callaré, porque empiece vuestro canto.

ESCENA V

Dentro, una Voz

VOZ.   *¿ Cuál es la gloria mayor*
                         de esta vida ?

TODOS.   *Amor, amor.*

Mientras esta copla se canta, se va entrando EL DEMONIO,
por una puerta, y sale por otra JUSTINA, *huyendo en su casa*

VOZ.   *No hay sujeto en quien no imprima*
                         el fuego de amor su llama,
                         pues vive más donde ama
                         el hombre, que donde anima.
                         Amor solamente estima
                         cuanto tener vida sabe,
                         el tronco, la flor y el ave:
                         luego es la gloria mayor
                         de esta vida

TODOS.   *Amor, amor.*
JUSTINA.   Pesada imaginación,
                     al parecer lisonjera,

                     (Esto, representa asombrada y inquieta.)

                     ¿ cuándo te he dado ocasión
                     para que desta manera
                     aflijas mi corazón ?
                         ¿ Cuál es la causa, en rigor,
                     deste fuego, deste ardor,
                     que en mí por instantes crece ?
                     ¿ Qué dolor el que padece
                     mi sentido ?
TODOS.   *Amor, amor.*
JUSTINA.   Aquel ruiseñor amante

                                        (Cóbrase más.)

                     es quien respuesta me da,
                     enamorando constante

a su consorte, que está
un ramo más adelante.

Calla, ruiseñor; no aquí
imaginar me hagas ya,
por las quejas que te oí,
cómo un hombre sentirá,
si siente un pájaro así.

Mas no: una vid fué lasciva,
que buscando fugitiva
va el tronco donde se enlace,
siendo el verdor con que abrace
el peso con que derriba.

No así con verdes abrazos
me hagas pensar en quien amas,
vid; que dudaré en tus lazos,
si así abrazan unas ramas,
cómo enraman unos brazos.

Y si no es la vid, será
aquel girasol, que está
viendo cara a cara al sol,
tras cuyo hermoso arrebol
siempre moviéndose va.

No sigas, no, tus enojos,
flor, con marchitos despojos,
que pensarán mis congojas,
si así lloran unas hojas,
cómo lloran unos ojos.

Cesa, amante ruiseñor;
desúnete, vid frondosa;
párate, inconstante flor,
o decid, ¿ qué venenosa
fuerza usáis ?

TODOS.   *Amor, amor.*
JUSTINA.   ¿ Amor ? ¿ A quién le he tenido
yo jamás ? Objeto es vano;
pues siempre despojo han sido
de mi desdén y mi olvido
Lelio, Floro y Ciprïano.

1

¿A Lelio no desprecié?
¿A Floro no aborrecí?
Y a Cipriano traté

(Párase en el nombre de CIPRIANO, *y
desde allí representa inquieta otra
vez.)*

con tal rigor, que de mí
aborrecido, se fué
    donde dél no se ha sabido.
Mas (¡ay de mí!) yo ya creo
que ésta debe de haber sido
la ocasión con que ha podido
atreverse mi deseo;
    pues desde que pronuncié
que vive ausente por mí,
no sé (¡ay, infeliz!), no sé
qué pena es la que sentí.

(Cóbrase otra vez.)

Mas piedad sin duda fué
    de ver que por mí olvidado
viva un hombre, que se vió
de todos tan celebrado;
y que a sus olvidos yo
tanta ocasión haya dado.

(Con asombro, otra vez.)

    Pero si fuera piedad,
la misma piedad tuviera
de Lelio y Floro, en verdad;
pues en una prisión fiera
por mí están sin libertad.

(En sí, otra vez.)

    Mas, ¡ay, discursos!, parad:
si basta ser piedad sola,
no acompañéis la piedad;

que os alargáis de manera
que no sé (¡ ay de mí !), no sé
si ahora a buscarle fuera,
si adónde él está supiera.

ESCENA VI

Sale EL DEMONIO

DEMONIO.   Ven, que yo te lo diré.

JUSTINA.   ¿ Quién eres tú, que has entrado
hasta este retrete mío,
estando todo cerrado ?
¿ Eres monstruo que ha formado
mi confuso desvarío ?

DEMONIO.   No soy sino quien, movido
dese afecto que tirano
te ha postrado y te ha vencido,
hoy llevarte ha prometido
adonde está Ciprïano.

JUSTINA.   Pues no lograrás tu intento;
que esta pena, esta pasión
que afligió mi pensamiento,
llevó la imaginación,
pero no el consentimiento.

DEMONIO.   En haberlo imaginado,
hecho tienes la mitad:
pues ya el pecado es pecado
no pares la voluntad,
el medio camino andado.

JUSTINA.   Desconfiarme es en vano,
aunque pensé; que aunque es llano
que el pensar es empezar,
no está en mi mano el pensar,
y está el obrar en mi mano.
     Para haberte de seguir,
el pie tengo de mover,
y esto puedo resistir,

porque una cosa es hacer
y otra cosa es discurrir.

DEMONIO.   Si una ciencia peregrina
en ti su poder esfuerza,
¿cómo has de vencer, Justina,
si inclina con tanta fuerza,
que fuerza al paso que inclina?

JUSTINA.   Sabiéndome yo ayudar
del libre albedrío mío.

DEMONIO.   Forzaréle mi pesar.

JUSTINA.   No fuera libre albedrío
si se dejara forzar.

DEMONIO.   Ven donde un gusto te espera.

(Tira de ella, y no puede movella.)

JUSTINA.   Es muy costoso ese gusto.
DEMONIO.   Es una paz lisonjera.
JUSTINA.   Es un cautiverio injusto.
DEMONIO.   Es dicha.
JUSTINA.   Es desdicha fiera.
DEMONIO.   ¿Cómo te has de defender, *(Tira más.)*
si te arrastra mi poder?
JUSTINA.   Mi defensa en Dios consiste.
DEMONIO.   Venciste, mujer, venciste *(Suéltala.)*
con no dejarte vencer.

Mas ya que desta manera
de Dios estás defendida,
mi pena, mi rabia fiera
sabrá llevarte fingida,
pues no puede verdadera.

Un espíritu verás,
para este efecto no más,
que de tu forma se informa,
y en la fantástica forma
disfamada vivirás.

Lograr dos triunfos espero,
de tu virtud ofendido:
deshonrarte es el primero,

y hacer de un gesto fingido
un delito verdadero. (*Vase.*)

ESCENA VII

JUSTINA.   Desa ofensa al cielo apelo,
porque desvanezca el cielo
la apariencia de mi fama,
bien como al aire la llama,
bien como la flor al hielo.
  No podrás . . . Mas, ¡ ay de mí !,
¿ a quién estas voces doy ?
¿ No estaba ahora un hombre aquí ?
Sí. Mas no: yo sola estoy.
No. Mas sí, pues yo le vi.
  ¿ Por dónde se fué tan presto ?
¿ Si le engendró mi temor ?
Mi peligro es manifiesto. —
¡ Lisandro, padre, señor ! (*A voces.*)
¡ Livia !

ESCENA VIII

Salen LISANDRO *y* LIVIA, *cada uno por su puerta*

LISANDRO.   ¿ Qué es esto ?
LIVIA.   ¿ Qué es esto ?
JUSTINA.   ¿ Visteis un hombre (¡ ay de mí !)
que ahora salió de aquí ?
Mal mis desdichas resisto.
LISANDRO.   ¡ Hombre aquí !
JUSTINA.   ¿ No le habéis visto ?
LIVIA.   No, señora.
JUSTINA.   Pues yo sí.
LISANDRO.   ¿ Cómo puede ser, si ha estado
todo este cuarto cerrado ?

LIVIA.	*(Ap.)* Sin duda que a Moscón vió, que tengo encerrado yo en mi aposento.
LISANDRO.	Formado cuerpo de tu fantasía el hombre debió de ser; que tu gran melancolía le supo formar y hacer de los átomos del día.
LIVIA.	Mi señor tiene razón.
JUSTINA.	No ha sido (¡ ay de mí !) ilusión, y mayor daño sospecho, porque a pedazos del pecho me arrancan el corazón.

    Algún hechizo mortal
se está haciendo contra mí,
y fuera el conjuro tal,
que, a no haber Dios, desde aquí
me dejara ir tras mi mal.

    Mas él me ha de defender,
y no sólo del poder
desta tirana violencia;
pero mi humilde inocencia
no ha de dejar padecer. —

    Livia, el manto, porque en tanto
que padezco estos extremos,
tengo de ir al templo santo,
que tan secreto tenemos
los fieles.

          (Saca el manto, y póneselo; que le vea
             con él la gente.)

LIVIA.	Aquí está el manto.
JUSTINA.	En él tengo de templar este fuego que me abrasa.
LISANDRO.	Yo te quiero acompañar.
LIVIA.	*(Ap.)* Y yo volveré a alentar en echándolos de casa.

JUSTINA.
Pues voy a ampararme así,
cielos, de vuestro favor,
confío . . .

LISANDRO.
Vamos de aquí.

JUSTINA.
Vuestra es la causa, Señor.
Volved por vos, y por mí.

Vanse las dos, y sale MOSCÓN, *que está acechando*

ESCENA IX

MOSCON.
¿ Fuéronse ya ?

LIVIA.
Ya se fueron.

MOSCON.
¡ Con qué susto me tuvieron !

LIVIA.
¿ Es posible que salieras
del aposento, y vinieras
donde sus ojos te vieron ?

MOSCON.
¡ Vive Dios que no he salido
un instante, Livia mía,
de donde estuve escondido !

LIVIA.
Pues ¿ quién el hombre sería ?

MOSCON.
El mismo diablo habrá sido.
¿ Qué sé yo ? No muestres ya
por eso, mi bien, enfado.

LIVIA.
No es por eso. (*Suspira.*)

MOSCON.
¿ Qué será ?

LIVIA.
¿ Qué pregunta, si ha que está
un día entero encerrado
conmigo ? ¿ No echa de ver (*Llora.*)
que habrá también menester
el otro, su confidente,
que llore hoy tenerle ausente,
pues no lloré en todo ayer ?
¿ Hase de pensar de mí
que mujer tan fácil fuí,
que en medio año de ausencia,

falté a la correspondencia
que al ser quien soy ofrecí?

MOSCÓN.   ¿Qué es medio año? Un año entero
ha ya que pudo faltar.

LIVIA.   Es engaño, pues infiero
que yo no debo contar
los días que no le quiero.

        Y si de un año (¡ay de mí!) *(Llorando.)*
te di la mitad a ti,
fuera injuria muy cruel
contársele todo a él.

MOSCÓN.   Cuando yo, ingrata, creí
        que fuera tu voluntad
toda mía, ¡con piedad
haces cuentas!. . . .

LIVIA.   Sí, Moscón,
porque en fin, cuenta y razón
conservan toda amistad.

MOSCÓN.   Pues que tu constancia es tal,
adiós, Livia, hasta mañana.
Sólo te ruega mi mal
que, pues eres su terciana,
no seas su sincopal.

LIVIA.   Ya tú ves que no hay en mí
malicia alguna.

MOSCÓN.   Es así.

LIVIA.   En todo hoy no me has de ver;
mas no sea menester
enviar mañana por ti. *(Vanse.)*

Sale CIPRIANO, *con asombro, y* CLARÍN, *acechando, tras él
en el bosque*

ESCENA X

CIPRIANO.   Sin duda se han rebelado
en los imperios cerúleos

las tropas de las estrellas,
pues me niegan sus influjos.
Comunidades ha hecho
todo el abismo profundo,
pues la obediencia no rinde
que me debe por tributo.
Una y mil veces el viento
estremezco a mis conjuros,
y una y mil veces la tierra
con mis caracteres sulco,
sin que me ofrezca a mis ojos
el humano sol que busco,
el cielo humano que espero
en mis brazos.

CLARÍN.   Eso ¿ es mucho ?
Pues una y mil veces yo
hago en la tierra dibujos,
una y mil veces el viento
a puras voces aturdo,
y tampoco viene Livia.

CIPRIANO.   Esta vez sola presumo
volver a invocarla. — Escucha,
bella Justina . . .

ESCENA XI

Sale LA QUE HACE A JUSTINA, *con manto, como turbada, por una puerta, y éntrase huyendo por la otra, y va tras ella* CIPRIANO, *turbado, y* CLARÍN, *turbado, dando vueltas. con miedo*

FIG. JUST.   Ya escucho;
que forzada de tus voces,
aquestos montes discurro.
¿ Qué me quieres ? ¿ Qué me quieres,
Ciprïano ?

CIPRIANO.   ¡ Estoy confuso !

FIG. JUST.   Y pues que ya . . .

CIPRIANO.   ¡ Estoy absorto !

FIG. JUST.   he venido . . .

CIPRIANO.   ¿ Qué me turbo ?

FIG. JUST.   de la suerte . . .

CIPRIANO.   ¿ Qué me espanto ?

FIG. JUST.   que me halló el amor . . .

CIPRIANO.   ¿ Qué dudo ?

FIG. JUST.   donde me llamas . . .

CIPRIANO.   ¿ Qué temo ?

FIG. JUST.   y así con la fuerza cumplo
              del encanto, a lo intrincado
              del monte tu vista huyo.

        (Cúbrese el rostro con el manto, y vase.)

CIPRIANO.   Espera, aguarda, Justina.
              Mas ¿ qué me asombro y discurro ?
              Seguiréla, y este monte,
              donde mi ciencia la trujo,
              teatro será frondoso,
              ya que no tálamo rudo,
              del más prodigioso amor
              que ha visto el cielo. *(Vase.)*

                    ESCENA XII

CLARIN.   Abernuncio
              de mujer que viene a ser
              novia, y viene oliendo a humo.
              Pero debió de cogerla
              del encanto lo absoluto
              soplando alguna colada,
              o cociendo algún menudo.
              Mas no: ¡ en cocina y con manto !
              De otra suerte la disculpo.
              Sin duda debe de ser
              (ahora he dado en el punto;
              que una honrada nunca huele

mejor) cogida de susto.
Ya la ha alcanzado, y con ella,
de aqueste valle en lo inculto
luchando a brazos enteros
(que a brazos partidos, juzgo
que hiciera mal en luchar
el amante más forzudo),
a este mismo sitio vuelven.
Desde aquí acechar procuro;
que deseo saber cómo
se hace una fuerza en el mundo.

ESCENA XIII

Escóndese, y sale CIPRIANO, *trayendo abrazada una persona
cubierta con manto, y con vestido parecido al de* JUSTINA,
*que es fácil siendo negro este manto y vestidos, y han de
venir de suerte que con facilidad se quite todo y quede un
esqueleto, que ha de volar o hundirse, como mejor pareciere,
como se haga con velocidad; si bien será mejor desaparecer
por el viento*

CIPRIANO.   Ya, bellísima Justina,
en este sitio, que oculto,
ni el sol le penetra a rayos,
ni a soplos el aire puro,
ya es trofeo tu belleza
de mis mágicos estudios;
que por conseguirte, nada
temo, nada dificulto.
El alma, Justina bella,
me cuestas; pero ya juzgo,
siendo tan grande el empleo,
que no ha sido el precio mucho.
Corre a la deidad el velo:
no entre pardos, ni entre oscuros
celajes se esconda el sol;
sus rayos ostente rubios.

(*Descúbrela, y ve el cadáver.*)

Mas, ¡ ay, infeliz !, ¿ qué veo ?
¡ Un yerto cadáver mudo
entre sus brazos me espera !
¿ Quién en un instante pudo
en facciones desmayadas
de lo pálido y caduco,
desvanecer los primores
de lo rojo y lo purpúreo ?

ESQUEL.   Así, Cipriano, son
todas las glorias del mundo.

(Desaparece, y sale CLARÍN *huyendo, y abrázase con él*
CIPRIANO)

ESCENA XIV

CLARIN.   Si alguien ha menester miedo,
yo tengo un poco y un mucho.

CIPRIANO.   Espera, fúnebre sombra.
Ya con otro fin te busco.

CLARIN.   Pues yo soy fúnebre cuerpo.
¿ No echas de verlo en el bulto ?

CIPRIANO.   ¿ Quién eres ?

CLARIN.   Yo estoy de suerte,
que aun quién soy creo que dudo.

CIPRIANO.   ¿ Viste en lo raro del viento,
o del centro en lo profundo,
yerto un cadáver, dejando
en señas de polvo y humo
desvanecida la pompa
que llena de adornos trujo ?

CLARIN.   ¿ Ahora sabes que estoy
sujeto a los infortunios
de acechador ?

CIPRIANO.   ¿ Qué se hizo ?

CLARIN.   Deshízose luego al punto.

CIPRIANO.   Busquémosle.

CLARIN.   No busquemos.
CIPRIANO.   Sus desengaños procuro.
CLARIN.   Yo no, señor.

ESCENA XV

Sale EL DEMONIO

DEMONIO.   (Ap.)   ¡ Justos cielos !
             Si juntas un tiempo tuvo
             mi ser la ciencia y la gracia
             cuando fuí espíritu puro,
             la gracia sola perdí,
             la ciencia no. ¿ Cómo injustos,
             si esto es así, de mis ciencias
             aun no me dejáis el uso ?
CIPRIANO.   ¡ Lucero, sabio maestro ! (Sin verle.)
CLARIN.   No le llames; que presumo
             que venga en otro cadáver.
DEMONIO.   ¿ Qué me quieres ?
CIPRIANO.   Que del mucho
             horror que padezco absorto,
             rescates hoy mi discurso.
CLARIN.   Yo, que no quiero rescates,
             por este lado me escurro. (Vase.)

ESCENA XVI

CIPRIANO.   Apenas sobre la tierra
             herida, acentos pronuncio,
             cuando en la acción que allá estaba
             Justina, divino asunto
             de mi amor y mi deseo . . .
             Pero ¿ para qué procuro
             contarte lo que ya sabes ?
             Vino, abracéla, y al punto
             que la descubro (¡ ay de mí !),

en su belleza descubro
un esqueleto, una estatua,
una imagen, un trasunto
de la muerte, que en distintas
voces me dijo (¡ oh qué susto !):
"Así, Cipriäno, son
todas las glorias del mundo."
Decir que en la magia tuya,
por mí ejecutada, estuvo
el engaño, no es posible;
porque yo, punto por punto
la obré, sin que errar pudiese
de sus caracteres mudos
una línea, ni una voz
de sus mortales conjuros.
Luego tú me has engañado
cuando yo los ejecuto,
pues sólo fantasmas hallo
adonde hermosuras busco.

DEMONIO.   Cipriäno, ni hubo en ti
defecto, ni en mí le hubo:
en ti, supuesto que obraste
el encanto con agudo
ingenio; en mí, pues el mío
te enseñó en él cuanto supo.
El asombro que has tocado,
más superior causa tuvo.
Mas no importará; que yo,
que tu descanso procuro,
te haré dueño de Justina
por otros medios más justos.

CIPRIANO.   No es ése mi intento ya;
que de tal suerte confuso
este espanto me ha dejado,
que no quiero medios tuyos.
Y así, pues que no has cumplido
las condiciones que puso
mi amor, sólo de ti quiero,

ya que de tu vista huyo,
que mi cédula me vuelvas,
pues es el contrato nulo.

DEMONIO. Yo te dije que te había
de enseñar en este estudio
ciencias que atraer pudiesen,
de tus voces al impulso,
a Justina; y pues el viento
aquí a Justina te trujo,
válido ha sido el contrato,
y yo mi palabra cumplo.

CIPRIANO. Tú me ofreciste que había
de coger mi amor el fruto
que sembraba mi esperanza
por estos montes incultos.

DEMONIO. Yo me obligué, Cipriäno,
sólo a traerla.

CIPRIANO.　　　　　Eso dudo;
que a dármela te obligaste.

DEMONIO. Yo la vi en los brazos tuyos.

CIPRIANO. Fué una sombra.

DEMONIO.　　　　　Fué un prodigio.

CIPRIANO. ¿ De quién ?

DEMONIO.　　　　　De quien se dispuso
a ampararla.

CIPRIANO.　　　　　¿ Y cúyo fué ?

DEMONIO. No quiero decirte cúyo. (Temblando.)

CIPRIANO. Valdréme yo de mis ciencias
contra ti. Yo te conjuro
que quién ha sido me digas.

DEMONIO. Un Dios, que a su cargo tuvo
a Justina.

CIPRIANO.　　　　　Pues ¿ qué importa
sólo un Dios, puesto que hay muchos ?

DEMONIO. Tiene éste el poder de todos.

CIPRIANO. Luego solamente es uno,
pues con una voluntad
obra más que todos juntos.

DEMONIO.	No sé nada, no sé nada.
CIPRIANO.	Ya todo el pacto renuncio,
	que hice contigo; y en nombre
	de aquese Dios te pregunto:
	¿Qué le ha obligado a ampararla?
DEMONIO.	*(Haciéndose fuerza por no decillo.)*
	Guardar su honor limpio y puro.
CIPRIANO.	Luego ése es suma bondad,
	pues que no permite insulto.
	Mas ¿qué perdiera Justina,
	si aquí se quedaba oculto?
DEMONIO.	Su honor, si lo adivinara
	por sus malicias el vulgo.
CIPRIANO.	Luego ese Dios todo es vista,
	pues vió los daños futuros.
	Pero ¿no pudiera ser
	ser el encanto tan sumo
	que no pudiera vencerle?
DEMONIO.	No, que su poder es mucho.
CIPRIANO.	Luego ese Dios todo es manos,
	pues que cuanto quiso pudo.
	Dime, ¿quién es ese Dios,
	en quien he topado juntos
	ser una suma bondad,
	ser un poder absoluto,
	todo vista y todo manos,
	que ha tantos años que busco?
DEMONIO.	No lo sé.
CIPRIANO.	Dime quién es.
DEMONIO.	¡Con cuánto horror lo pronuncio!
	Es el Dios de los cristianos.
CIPRIANO.	¿Qué es lo que moverle pudo
	contra mí?
DEMONIO.	Serlo Justina.
CIPRIANO.	¿Pues tanto ampara a los suyos?
DEMONIO.	Sí, mas ya es tarde, ya es tarde
	para hallarle tú, si juzgo

que siendo tú esclavo mío,
no has de ser vasallo suyo. *(Con rabia.)*

CIPRIANO. ¡ Yo tu esclavo !

DEMONIO. En mi poder
tu firma está.

CIPRIANO. Ya presumo
cobrarla de ti, pues fué
condicional, y no dudo
quitártela.

DEMONIO. ¿ De qué suerte ?

CIPRIANO. Desta suerte.

(Saca la espada, tírale y no le topa.)

DEMONIO. Aunque desnudo
el acero contra mí
esgrimas fiero y sañudo,
no me herirás; y porque
desesperen tus discursos,
quiero que sepas que ha sido
el demonio el dueño tuyo.

CIPRIANO. ¡ Qué dices !

DEMONIO. Que yo lo soy.

CIPRIANO. ¡ Con cuánto asombro te escucho !

DEMONIO. Para que veas, no sólo
que esclavo eres, pero cúyo.

CIPRIANO. ¡ Esclavo yo del demonio !
¿ Yo de un dueño tan injusto ?

DEMONIO. Sí, que el alma me ofreciste,
y es mía desde aquel punto.

CIPRIANO. ¿ Luego no tengo esperanza,
favor, amparo o recurso,
que tanto delito pueda
borrar ?

DEMONIO. No.

CIPRIANO. Pues ya ¿ qué dudo ?
No ociosamente en mi mano
esté aqueste acero agudo;
pasándome el pecho, sea

mi voluntario verdugo.
Mas ¿qué digo? Quien de ti
librar a Justina pudo,
¿a mí no podrá librarme?

DEMONIO. No, que es contra ti tu insulto,
y Él no ampara los delitos;
las virtudes sí.

CIPRIANO. Si es sumo
su poder, el perdonar
y el premiar será en Él uno.

DEMONIO. También lo será el premiar
y el castigar, pues es justo.

CIPRIANO. Nadie castiga al rendido:
yo lo estoy, pues le procuro.

DEMONIO. Eres mi esclavo, y no puedes
ser de otro dueño.

CIPRIANO. Eso dudo.

DEMONIO. ¿Cómo, estando en mi poder
la firma que, con dibujos
de tu sangre, escrita tengo?

CIPRIANO. El que es poder absoluto,
y no depende de otro,
vencerá mis infortunios.

DEMONIO. ¿De qué suerte?

CIPRIANO. Todo es vista,
y verá el medio oportuno.

DEMONIO. Yo la tengo.

CIPRIANO. Todo es manos:
Él sabrá romper los nudos.

DEMONIO. Dejaréte yo primero
entre mis brazos difunto. *(Luchan.)*

CIPRIANO. ¡Grande Dios de los cristianos!,
a ti en mis penas acudo.

DEMONIO. *(Arrójale de sus brazos.)*
Ése te ha dado la vida.

CIPRIANO. Más me ha de dar, pues le busco.

Vase cada uno por su puerta, y salen EL GOBERNADOR, *y su
gente, y* FABIO *haga relación, sin barba* en el palacio del
Gobernador

ESCENA XVII

GOBERN.   ¿ Cómo ha sido la prisión ?

FABIO.   Todos en su iglesia estaban
            escondidos, donde daban
            a su Dios adoración.
                Llegué con armadas gentes,
            toda la casa cerqué,
            prendílos, y los llevé
            a cárceles diferentes;
                y el suceso, en fin, concluyo
            con decir que en esta ruina
            prendí a la hermosa Justina
            y a Lisandro, padre suyo.

GOBERN.   Pues si riquezas codicias,
            puestos, honores y más,
            ¿ cómo esas nuevas me das,
            Fabio, sin pedirme albricias ?

FABIO.   Si así estimas mis sucesos,
            las que me has de dar no ignoro.

GOBERN.   Di.

FABIO.   La libertad de Floro
            y Lelio, que tienes presos.

GOBERN.   Aunque yo con su castigo
            perece que escarmentar
            quise todo este lugar,
            si la verdad, Fabio, digo,
                otra es la causa por qué
            presos han vivido un año,
            y es que así de Lelio el daño
            como padre aseguré.
                Floro, su competidor,
            tiene deudos poderosos:
            y estando los dos celosos

y empeñados en su amor,
    temí que habían de volver
otra vez a la cuestión;
y hasta quitar la ocasión,
no me quise resolver.
    Con este intento buscaba
algún color con que echar
a Justina del lugar;
pero nunca le encontraba.
    Y pues su virtud fingida,
no sólo ocasión me da
hoy de desterrarla ya,
mas de quitarla la vida,
    no estén más presos; y así,
a sus prisiones irás,
y con brevedad traerás
a Leilo y a Floro aquí.

FABIO.   Beso mil veces tus pies
por merced tan peregrina. (*Vase.*)

ESCENA XVIII

GOBERN.   Ya está en mi poder Justina,
presa y convencida: pues
    ¿qué espera mi rabia fiera,
que ya en ella no ha vengado
los enojos que me ha dado?
A sangrientas manos muera
    de un verdugo. — Vos, mirad...
                    (*A un criado.*)
que aquí la traigáis os mando
hoy a la vergüenza, dando
escándalo en la ciudad;
    porque si en palacio está,
nada a darla vida baste.

ESCENA XIX

Salen FABIO, LELIO *y* FLORO

FABIO.
Los dos por quien enviaste
están a tus plantas ya.

LELIO.
Yo, que al fin sólo deseo
parecer tu hijo esta vez,
no te miro como juez,
con los temores de reo;
sino como padre airado,
con los temores de hijo
obediente.

FLORO.
Y yo colijo,
viéndome de ti llamado,
que es para darme, señor,
castigos que no merezco.
Pero a tus plantas me ofrezco.

GOBERN.
Lelio, Floro, mi rigor
justo con los dos ha sido,
porque si no os castigara,
padre, no juez me mostrara.
Pero teniendo entendido
que en los nobles no duró
nunca el enojo, y que ya
quitada la causa está,
intento piadoso yo
haceros amigos luego.
En muestras de la amistad,
aquí los brazos os dad.

LELIO.
Yo el venturoso a ser llego
en ser hoy de Floro amigo.

FLORO.
Y yo de que lo seré
doy mano y palabra.

GOBERN.
En fe
deso, a libraros me obligo,
que si el desengaño toco
que de vuestro amor tenéis,
no dudo que los seréis.

ESCENA XX

DEMONIO. *(Dentro.)*

　　　　¡ Guarda el loco, guarda el loco !

GOBERN.　　¿ Qué es esto?

LELIO.　　　　　　　Yo lo iré a ver.

　　　　(Llega a la puerta, y vuelve luego.)

GOBERN.　　En palacio tanto ruido,
　　　　　¿ de qué puede haber nacido ?

FLORO.　　Gran causa debe de ser.

LELIO.　　　Aqueste ruido, señor
　　　　　(escucha un raro suceso),
　　　　　es Ciprïano, que al cabo
　　　　　de tantos días ha vuelto
　　　　　loco y sin juicio a Antioquía.

FLORO.　　Sin duda que de su ingenio
　　　　　la sutileza le tiene
　　　　　en aqueste estado puesto.

TODOS.　　¡ Guarda el loco, guarda el loco !

ESCENA XXI

Salen TODOS, *y* CIPRIANO, *medio desnudo*

CIPRIANO.　Nunca yo he estado más cuerdo;
　　　　　que vosotros sois los locos.

GOBERN.　　Ciprïano, ¿ pues qué es esto ?

CIPRIANO.　Gobernador de Antioquía,
　　　　　virrey del gran césar Decio,
　　　　　Floro y Lelio, de quien fuí
　　　　　amigo tan verdadero,
　　　　　nobleza ilustre, gran plebe,
　　　　　estadme todos atentos;
　　　　　que por hablaros a todos
　　　　　juntos, a palacio vengo.
　　　　　Yo soy Ciprïano, yo
　　　　　por mi estudio y por mi ingenio

fuí asombro de las escuelas,
fuí de las ciencias portento.
Lo que de todas saqué,
fué una duda, no saliendo
jamás de una duda sola
confuso en mi entendimiento.
Vi a Justina, y en Justina
ocupados mis afectos,
dejé a la docta Minerva
por la enamorada Venus.
De su virtud despedido,
mantuve mis sentimientos,
hasta que mi amor, pasando
de un extremo en otro extremo,
a un huésped mío, que el mar
le dió mis plantas por puerto,
por Justina ofrecí el alma,
porque me cautivó a un tiempo
el amor con esperanzas,
y con ciencias el ingenio.
De éste discípulo he sido,
esas montañas viviendo,
a cuya docta fatiga
tanta admiración le debo,
que puedo mudar los montes
desde un asiento a otro asiento;
y aunque puedo estos prodigios
hoy ejecutar, no puedo
atraer una hermosura
a la voz de mi deseo.
La causa de no poder
rendir este monstruo bello,
es que hay un Dios que la guarda,
en cuyo conocimiento
he venido a confesarle
por el más sumo y inmenso.
El gran Dios de los cristianos
es el que a voces confieso;

que aunque es verdad que yo ahora
esclavo soy del infierno,
y que con mi sangre misma
hecha una cédula tengo,
con mi sangre he de borrarla
en el martirio que espero.
Si eres juez, si a los cristianos
persigues duro y sangriento,
yo lo soy; que un venerable
anciano, en el monte mesmo
el carácter me imprimió
que es su primer sacramento.
Ea, pues, ¿ qué aguardas ? Venga
el verdugo, y de mi cuello
la cabeza me divida,
o con extraños tormentos
acrisole mi constancia;
que yo rendido y resuelto
a padecer dos mil muertes
estoy, porque a saber llego
que sin el gran Dios que busco,
que adoro y que reverencio,
las humanas glorias son
polvo, humo, ceniza y viento.

(Déjase caer boca abajo en el suelo.)

GOBERN.   Tan absorto, Ciprïano,
me deja tu atrevimiento,
que imaginando castigos,
a ninguno me resuelvo.
Levántate. *(Pisándole.)*

FLORO.   Desmayado,
es una estatua de hielo.

(Sacan presa a JUSTINA)

ESCENA XXII

CRIADO. Aquí está, señor, Justina,
GOBERN. *(Ap.)* Verla la cara no quiero. —
Con ese vivo cadáver
todos sola la dejemos;
porque cerrados los dos,
quizá mudarán de intento,
viéndose morir el uno
al otro; o sañudo y fiero,
si no adoraren mis dioses,
morirán con mil tormentos. *(Vase.)*
LELIO. Entre el amor y el espanto
confuso voy y suspenso. *(Vase.)*
FLORO. Tanto tengo que sentir,
que no sé qué es lo que siento. *(Vase.)*

ESCENA XXIII

JUSTINA. ¿ Todos os vais sin hablarme ?
Cuando yo contenta vengo
a morir, ¡ aún no me dais
muerte, porque la deseo !

(Yendo tras ellos, ve a CIPRIANO.)

Mas sin duda es mi castigo,
cerrada en este aposento,
darme muerte dilatada,
acompañada de un muerto,
pues sólo un cadáver me hace
compañía. ¡ Oh tú, que al centro
de donde saliste vuelves !
¡ Dichoso tú, si te ha puesto
en este estado la fe
que adoro !

CIPRIANO.   Monstruo soberbio,
¿ qué aguardas, que no desatas
mi vida en ? . . . *(Vela, y levántase.)*
                    ¡ Válgame el cielo !
(Ap.) ¿ No es Justina la que miro ?

JUSTINA.   *(Ap.)* ¿ No es Ciprïano el que veo ?

CIPRIANO.   *(Ap.)* Mas no es ella, que en el aire
la finge mi pensamiento.

JUSTINA.   *(Ap.)* Mas no es él: por divertirme,
fantasmas me finge el viento.

CIPRIANO.   Sombra de mi fantasía . . .

JUSTINA.   Ilusión de mi deseo . . .

CIPRIANO.   Asombro de mis sentidos . . .

JUSTINA.   Horror de mis pensamientos . . .

CIPRIANO.   ¿ Qué me quieres ?

JUSTINA.   ¿ Qué me quieres ?

CIPRIANO.   Ya no te llamo. ¿ A qué efecto
vienes ?

JUSTINA.   ¿ A qué efecto tú
me buscas ? Ya en ti no pienso.

CIPRIANO.   Yo no te busco, Justina.

JUSTINA.   Ni yo a tu llamada vengo.

CIPRIANO.   Pues ¿ cómo estás aquí ?

JUSTINA.   Presa.
¿ Y tú ?

CIPRIANO.   También estoy preso.
Pero tu virtud, Justina,
dime, ¿ qué delito ha hecho ?

                    (Cóbranse los dos.)

JUSTINA.   No es delito, pues ha sido
por el aborrecimiento
de la fe de Cristo, a quien
como a mi Dios reverencio.

CIPRIANO.   Bien se lo debes, Justina;
que tienes un Dios tan bueno,
que vela en defensa tuya.
Haz tú que escuche mis ruegos.

JUSTINA.	Sí hará, si con fe le llamas.
CIPRIANO.	Con ella le llamo; pero
	aunque dél no desconfío,
	mis extrañas culpas temo.
JUSTINA.	Confía.
CIPRIANO.	¡ Ay, qué inmensos son
	mis delitos !
JUSTINA.	Más inmensos
	son sus favores.
CIPRIANO.	¿ Habrá
	para mí perdón ?
JUSTINA.	Es cierto.
CIPRIANO.	¿ Cómo, si el alma he entregado
	al demonio mismo, en precio
	de tu hermosura ?
JUSTINA.	No tiene
	tantas estrellas el cielo,
	tantas arenas el mar,
	tantas centellas el fuego,
	tantos átomos el día,
	ni tantas plumas el viento
	como Él perdona pecados.
CIPRIANO.	Así, Justina, lo creo
	y por Él daré mil vidas.
	Pero la puerta han abierto.

Saca FABIO *presos a* MOSCÓN, CLARÍN *y* LIVIA

ESCENA XXIV

FABIO.	Entrad, que con vuestros amos
	aquí habéis de quedar presos.
LIVIA.	Si ellos quieren ser cristianos,
	¿ acá qué culpa tenemos ?
MOSCON.	Mucha; que los que servimos,
	harto gran delito hacemos.
CLARIN.	Huyendo del monte, vine
	de un riesgo a dar a otro riesgo.

ESCENA XXV

Sale UN CRIADO

CRIADO.

A Justina y a Cipriano
el gobernador Aurelio
llama.

JUSTINA.

¡ Feliz yo mil veces,
si es para el fin que deseo ! —
No te acobardes, Cipriano.

CIPRIANO.

Fe, valor y ánimo tengo;
que si de mi esclavitud
la vida ha de ser el precio,
quien el alma dió por ti,
¿ qué hará en dar por Dios el cuerpo ?

JUSTINA.

Que en la muerte te querría
dije: y pues a morir llego
contigo, Cipriano, ya
cumplí mis ofrecimientos.

(Vanse, y quedan los tres solos.)

ESCENA XXVI

MOSCON.

¡ Qué contentos a morir
van !

LIVIA.

Y mucho más contentos,
los tres a vivir quedamos.

CLARIN.

No mucho; que falta un pleito
que averiguar; y aunque aquésta
no es ocasión, por si luego
no hay lugar, no será justo
que echemos a mal el tiempo.

MOSCON.

¿ Qué pleito es ése ?

CLARIN.

Yo he estado
ausente . . .

LIVIA.

Di.

CLARIN.

Un año entero,
y un año Moscón ha sido

	sin mi intermisión tu dueño;
	y a rata por cantidad,
	para que iguales estemos,
	otro año has de ser mía.
LIVIA.	¿ Pues de mí presumes eso,
	que había de hacerte ofensa ?
	Los días lloraba enteros
	que me tocaba llorar.
MOSCON.	Y yo soy testigo dello;
	que el día que no era mío
	guardé a tu amistad respeto.
CLARIN.	Eso es falso, porque hoy
	no lloraba cuando dentro
	de su casa entré, y con ella
	estabas tú muy de asiento.
LIVIA.	No era hoy día de plegaria.
CLARIN.	Sí era, que, si bien me acuerdo,
	el día que me ausenté
	era mío.
LIVIA.	Ese fué yerro.
MOSCON.	Ya sé en lo que el yerro ha estado.
	Éste fué año de bisiesto
	y fueron pares los días.
CLARIN.	Yo me doy por satisfecho,
	porque no lo ha de apurar
	todo el hombre. — Mas ¿ qué es esto ?

ESCENA XXVII

Suena gran ruido de tempestad, y salen TODOS *alborotados*

LIVIA.	La casa se viene abajo.
MOSCON.	¡ Qué confusión ! ¡ Qué portento !
GOBERN.	Sin duda se ha desplomado
	la máquina de los cielos.

(Durando la tempestad.)

FABIO.	Apenas en el cadalso
	Cortó el verdugo los cuellos

de Cipriano y de Justina,
cuando hizo sentimiento
toda la tierra.

LELIO.   Una nube,
de cuyo abrasado seno
abortos horribles son
los relámpagos y truenos,
sobre nosotros cae.

FLORO.   Della
un disforme monstruo horrendo
en las escamadas conchas
de una sierpe sale, y puesto
sobre el cadalso, parece
que nos llama a su silencio.

*(Esto se haga como mejor pareciere; el cadalso se descubrirá
con las cabezas y cuerpos, y EL DEMONIO en alto)*

DEMONIO.   Oíd, mortales, oíd
lo que me mandan los cielos
que en defensa de Justina
haga a todos manifiesto
Yo fuí quien, por disfamar
su virtud, formas fingiendo,
su casa escalé, y entré
hasta su mismo aposento;
porque nunca padezca
su honesta fama desprecios,
a restituir su honor
de aquesta manera vengo.
Ciprïano, que con ella
yace en feliz monumento,
fué mi esclavo; mas borrando
con la sangre de su cuello
la cédula que me hizo,
ha dejado en blanco el lienzo;
y los dos, a mi pesar,
a las esferas subiendo
del sacro solio de Dios,

viven en mejor imperio.
Esta es la verdad, y yo
la digo, porque Dios mesmo
me fuerza a que yo la diga,
tan poco enseñado a hacerlo.

(Cae velozmente y húndese.)

LELIO.	¡ Qué asombro !
FLORO.	¡ Qué confusión !
LIVIA.	¡ Qué prodigio !
TODOS.	¡ Qué portento !
GOBERN.	Todos éstos son encantos que aqueste mágico ha hecho en su muerte.
FLORO.	Yo no sé si los dudo o si los creo.
LELIO.	A mí me admira el pensarlos.
CLARIN.	Yo solamente resuelvo que, si él es mágico, ha sido el mágico de los cielos.
MOSCON.	Pues dejando en pie la duda del bien partido amor nuestro, al *Mágico prodigioso* pedid perdón de los yerros.

FIN DE « EL MÁGICO PRODIGIOSO »

CRONOLOGÍA

Pedro Calderón de La Barca

1600.   El 17 de enero nace Calderón en Madrid.
Se educa en el Colegio Imperial de los Jesuítas.

1614.   Inicia sus estudios teológicos en la Universidad de Alcalá.

1615-1620.   Se traslada a la Universidad de Salamanca donde estudia Cánones.

1620.   Interrumpe su carrera eclesiástica. Comienza su labor dramática.

1623-1635.   Viajes por Italia y Flandes. Se supone que como soldado. Durante este período compone unas veinte comedias, incluso *La vida es sueño*, considerada por muchos su obra maestra.

1635.   Reemplaza a Lope como dramaturgo oficial de la corte.

1636.   Felipe IV le confiere el hábito de la Orden de Santiago. Aparece el primer tomo de sus comedias (doce).

1637.   En el servicio del Duque del Infantado. Se publica el segundo tomo de sus comedias (doce).

1640-1642.   Toma parte en la Guerra de Cataluña como caballero de la Orden de Santiago.

1644(?).   *El alcalde de Zalamea*.

1645-1649.   En el servicio del Duque de Alba.

1651.   Se ordena sacerdote. Se dedica a escribir *autos sacramentales*. Sólo compone comedias para presentarse en la corte.

1653.   Capellán de la Capilla de Reyes Nuevos en la Catedral de Toledo.

1661.   Nombrado capellán honorario del rey.

1664.   Se publica el tercer tomo de sus comedias (doce).

1672.   Aparece el cuarto tomo de sus comedias (doce).

1677.   Último tomo de diez comedias.

1681.   A petición del Duque de Veragua, hace un catálogo de sus obras. (Hoy se conocen ciento veinte comedias, ochenta autos sacramentales y veinte piezas menores.) Muere el 25 de mayo en Madrid.

DOUBLEDAY FOREIGN LANGUAGE
PAPERBACKS

COLLECTION INTERNATIONALE

COLECCION HISPANICA